# CONTENTS

| Page Colour | Map | Page |
|---|---|---|
| | **Key Plan to Atlas Section** | 2-3 |
| | **Distance Table** | 4 |
| | **Legend to Atlas Section** | 5 |
| | **Road Atlas** | 6-51 |
| | **Key Plan to Tourist Area Maps** | 52-53 |
| | Cape Peninsula | 54-55 |
| | Drakensberg | 64-65 |
| | Garden Route | 58-59 |
| | Gauteng | 60-61 |
| | Kruger National Park | 62-63 |
| | KwaZulu-Natal Coast | 66-67 |
| | South Western Cape | 56-57 |

| Page Colour | Map | Page |
|---|---|---|
| | **Key Plan to Street Maps** | 68-69 |
| | Bloemfontein | 78-79 |
| | Cape Town | 70-71 |
| | Durban | 88-89 |
| | East London | 74-75 |
| | Johannesburg - Central | 80-81 |
| | Kimberley | 76-77 |
| | Nelspruit | 86-87 |
| | Pietermaritzburg | 90-91 |
| | Polokwane | 84-85 |
| | Port Elizabeth | 72-73 |
| | Pretoria | 82-83 |
| | **Index to Place Names** | 92-100 |

**0860 10 50 50**
**www.mapstudio.co.za**

**Production Manager:** John Loubser
**Cartographic Manager:** Christine Flemington
**Cartographers:** Malcolm Palmer & Randall Watson.
**Research:** Derek Nel, Anthony Davids & Tracey-Lee Fredericks.
**Graphic Design & Index:** Randall Watson & Malcolm Palmer

Due to the dynamic nature of name changes both at street level and nationally we recognise the importance of keeping you, our map users as up-to-date as possible. Name changes are implemented in our products at the time of compilation, only once they have been made official. Should any other name changes be registered too late to be reflected in any of our products we will list them on our website - www.mapstudio.co.za .
These are available as free downloads for your convenience and can be obtained under our "downloads & links" section. It is our goal to keep our list of name changes on our website as current as possible– please note however that it will only list official name changes and not proposed ones.

The publishers acknowledge with thanks the great assistance of Municipal and Local Authorities, and various Government Departments on whom the information largely depends, in the revision of the Atlas.
Every reasonable care has been taken to ensure that the information in this book is correct at the time of compilation.
Nevertheless, the publishers can accept no responsibility for errors or omissions, nor for change of details given.
Compiled and produced by Map Studio. A Division of New Holland Publishing.
Company Reg. no. 1971/009721/07. All rights reserved.

# 2 Key Plan to Atlas Section
Scale 1 : 9 000 000

# Key Plan to Atlas Section 3

# Distance Table

| | BLOEMFONTEIN | CAPE TOWN | DURBAN | EAST LONDON | GABORONE | JOHANNESBURG | KIMBERLEY | MAFIKENG | MAPUTO | MASERU | MBABANE | MTHATHA | PORT ELIZABETH | PRETORIA |
|---|---|---|---|---|---|---|---|---|---|---|---|---|---|---|
| BLOEMFONTEIN | • | 1004 | 634 | 584 | 622 | 398 | 177 | 464 | 862 | 157 | 677 | 570 | 681 | 455 |
| CAPE TOWN | 1004 | • | 1753 | 1079 | 1501 | 1402 | 969 | 1343 | 1865 | 1160 | 1680 | 1314 | 769 | 1460 |
| COLESBERG | 226 | 778 | 860 | 488 | 848 | 624 | 292 | 672 | 1085 | 383 | 903 | 517 | 451 | 682 |
| DURBAN | 634 | 1753 | • | 674 | 979 | 557 | 811 | 821 | 620 | 590 | 562 | 439 | 984 | 636 |
| EAST LONDON | 584 | 1079 | 674 | • | 1206 | 982 | 780 | 1048 | 1301 | 630 | 719 | 235 | 310 | 1040 |
| GABORONE | 622 | 1501 | 979 | 1206 | • | 358 | 538 | 158 | 919 | 702 | 1238 | 1192 | 1299 | 350 |
| GEORGE | 773 | 438 | 1319 | 645 | 1361 | 1171 | 762 | 1203 | 1670 | 913 | 1450 | 880 | 335 | 1229 |
| GRAAFF-REINET | 424 | 787 | 942 | 395 | 1012 | 822 | 490 | 854 | 1283 | 599 | 1101 | 503 | 291 | 880 |
| GRAHAMSTOWN | 601 | 899 | 854 | 180 | 1223 | 999 | 667 | 1065 | 1478 | 692 | 1418 | 415 | 130 | 1057 |
| JOHANNESBURG | 398 | 1402 | 557 | 982 | 358 | • | 476 | 287 | 555 | 438 | 361 | 869 | 1075 | 58 |
| KEETMANSHOOP | 1074 | 995 | 1708 | 1468 | 1230 | 1296 | 897 | 1072 | 1851 | 1283 | 1657 | 1547 | 1429 | 1354 |
| KIMBERLEY | 177 | 962 | 811 | 780 | 538 | 476 | • | 380 | 1033 | 334 | 833 | 747 | 743 | 530 |
| LADYSMITH | 410 | 1413 | 248 | 752 | 755 | 356 | 587 | 597 | 529 | 366 | 386 | 517 | 1062 | 414 |
| MAFIKENG | 464 | 1343 | 821 | 1048 | 158 | 287 | 380 | • | 848 | 544 | 648 | 1034 | 1141 | 294 |
| MAPUTO | 862 | 1865 | 620 | 1301 | 919 | 555 | 1033 | 848 | • | 815 | 223 | 1064 | 1609 | 545 |
| MASERU | 157 | 1160 | 590 | 630 | 702 | 438 | 334 | 544 | 815 | • | 633 | 616 | 822 | 488 |
| MBABANE | 677 | 1680 | 562 | 1238 | 719 | 361 | 833 | 648 | 223 | 633 | • | 1003 | 1548 | 372 |
| MTHATHA | 570 | 1314 | 439 | 235 | 1192 | 869 | 747 | 1034 | 1064 | 616 | 1003 | • | 545 | 928 |
| MUSINA | 928 | 1921 | 1107 | 1501 | 696 | 505 | 991 | 680 | 687 | 949 | 797 | 1392 | 1594 | 447 |
| NELSPRUIT | 757 | 1762 | 707 | 1226 | 672 | 355 | 827 | 635 | 206 | 713 | 173 | 976 | 1434 | 322 |
| PIETERMARITZBURG | 555 | 1664 | 79 | 595 | 900 | 499 | 732 | 742 | 706 | 511 | 640 | 360 | 905 | 557 |
| POLOKWANE | 706 | 1710 | 886 | 1290 | 485 | 297 | 780 | 569 | 567 | 738 | 504 | 1181 | 1383 | 250 |
| PORT ELIZABETH | 681 | 769 | 984 | 310 | 1299 | 1075 | 743 | 1141 | 1609 | 822 | 1548 | 545 | • | 1133 |
| PRETORIA | 455 | 1460 | 636 | 1040 | 350 | 58 | 530 | 294 | 545 | 488 | 372 | 928 | 1133 | • |
| UPINGTON | 574 | 894 | 1208 | 968 | 730 | 796 | 397 | 572 | 1357 | 731 | 1157 | 1047 | 933 | 854 |
| WELKOM | 153 | 1156 | 564 | 737 | 479 | 258 | 294 | 321 | 775 | 249 | 451 | 718 | 830 | 316 |

Although the greatest care has been taken in compiling the kilometre table and ensuring that the road distances given conform to the latest information available, no responsibility for errors can be accepted by the publishers, who would welcome any suggested amendments. The kilometres indicate the shortest distance between any two places over tarred roads wherever possible.

To find the distance between any two places in the table read down and across the respective connecting columns. An example is given above in which the distance between Cape Town and Pretoria is shown as 1460 kilometres.

Copyright © Map Studio 2009

# Legend to Atlas Section 5

|  |  |
|---|---|
| (Tarred / Untarred / Under Construction) | Freeway / National Road |
| | Main Road |
| | Secondary Road |
| N1 / R21 / R110 | Route Numbers |
| T / T | Toll Route and Toll Plaza |
| | Mountain Pass |
| 15 | Distance in Kilometres |
| | Railway |
| | International Boundary / Provincial Boundary |
| | Water feature |
| | Marsh / Pan |
| | National Park and Nature Reserve |
| ■ | Capital or City |
| ◎ | Major Town |
| ○ | Secondary Town |
| ⊙ | Other Town |
| ∘ | Settlement |
| | Accommodation |
| | Historical Site |
| | Border Control |
| ✈ | Major Airport |
| | Airfield |
| ▲ | Major Spot Height |
| ▲ | Place of Interest |
| = | Waterfall |
| | Battlefield |

## MAJOR JUNCTION WAYPOINTS (GPS POINTS)

28 — The point of the arrow indicates the waypoint for this particular junction and its accompanying label. The junction is given a unique label and a list of these labels with their corresponding co-ordinates can be found on page 100.

0 5 10 20 30 40 50km

Scale 1 : 1 500 000

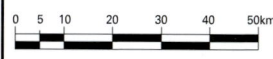
Copyright © Map Studio 2009

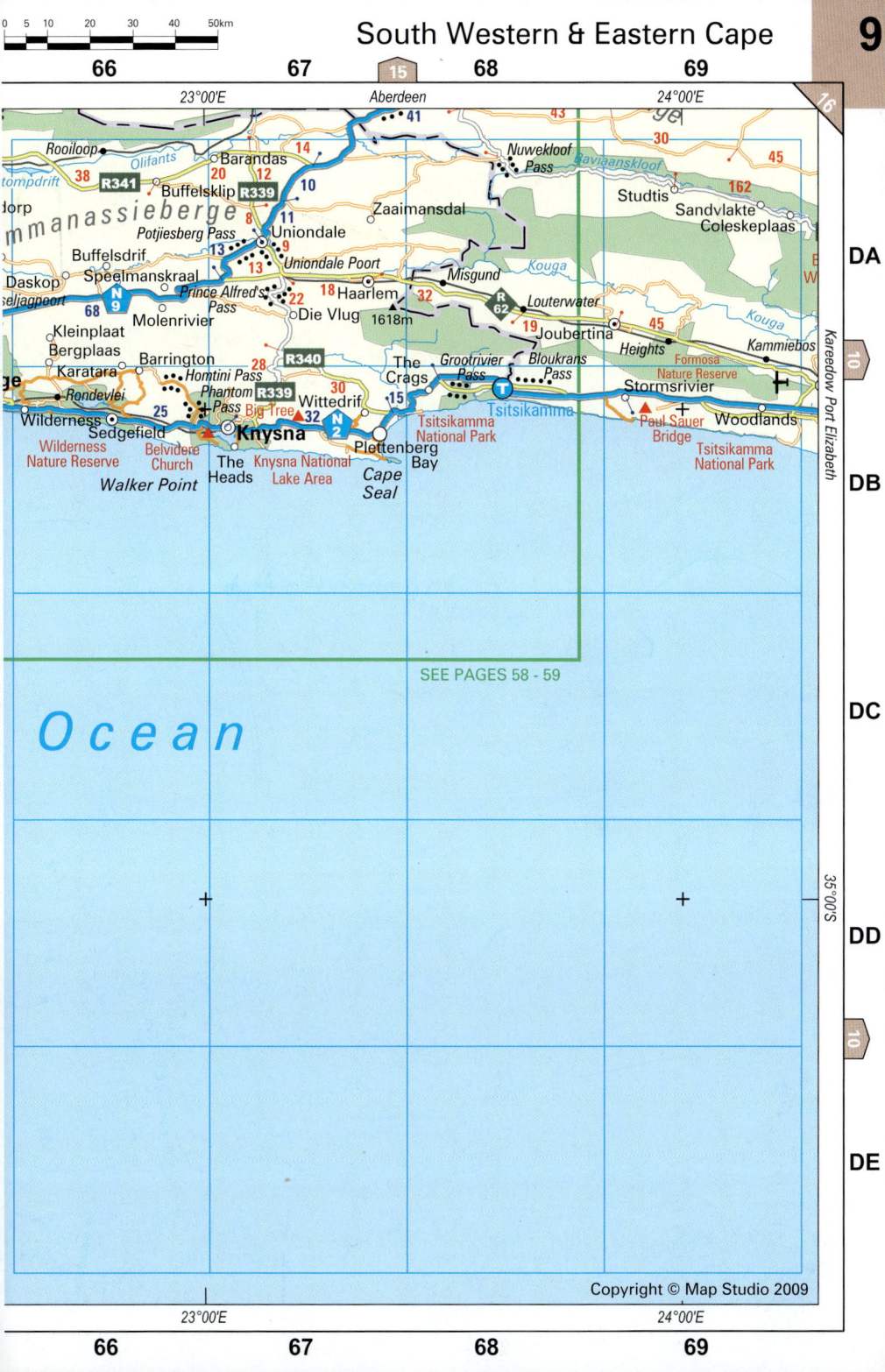

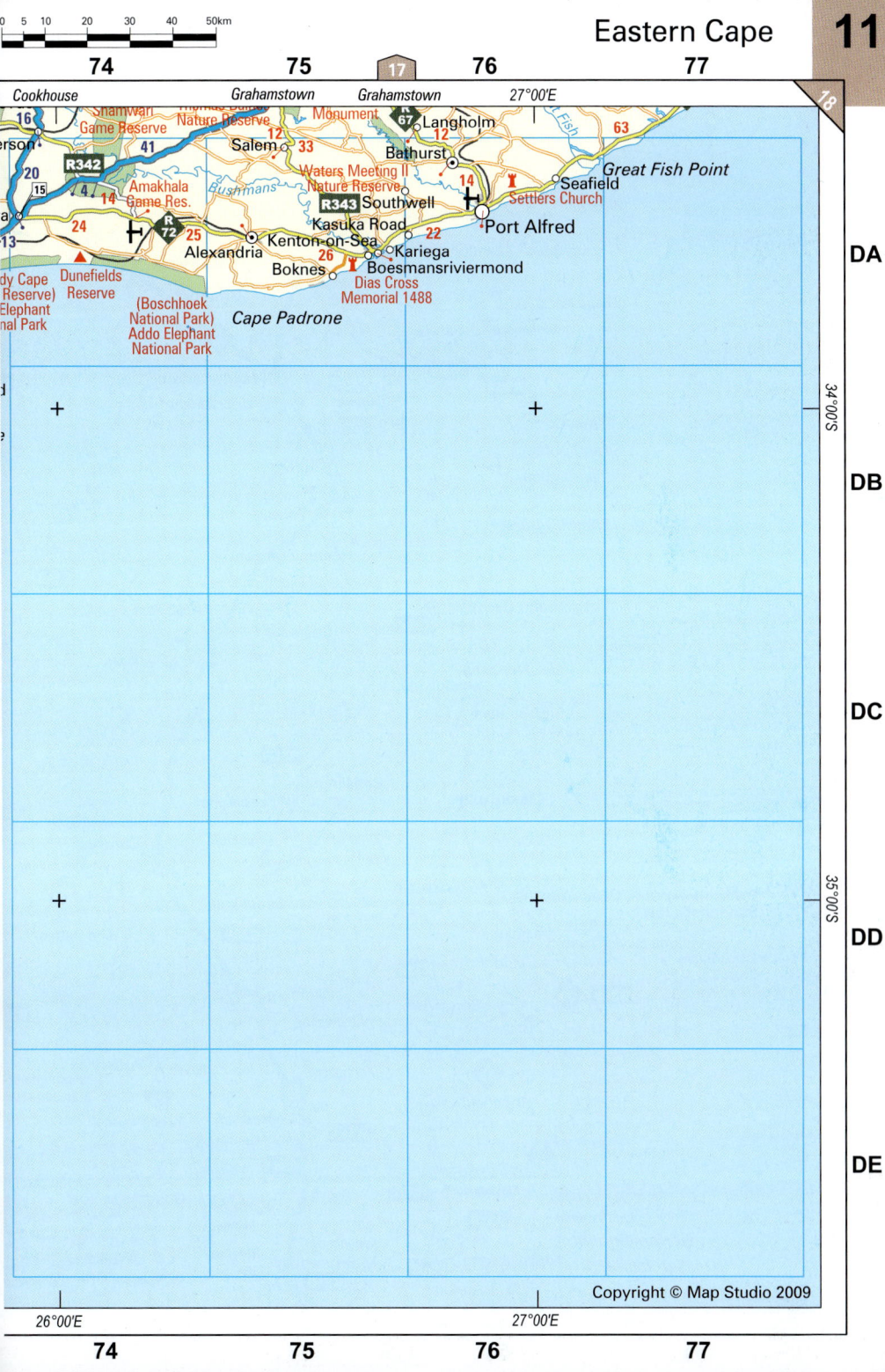

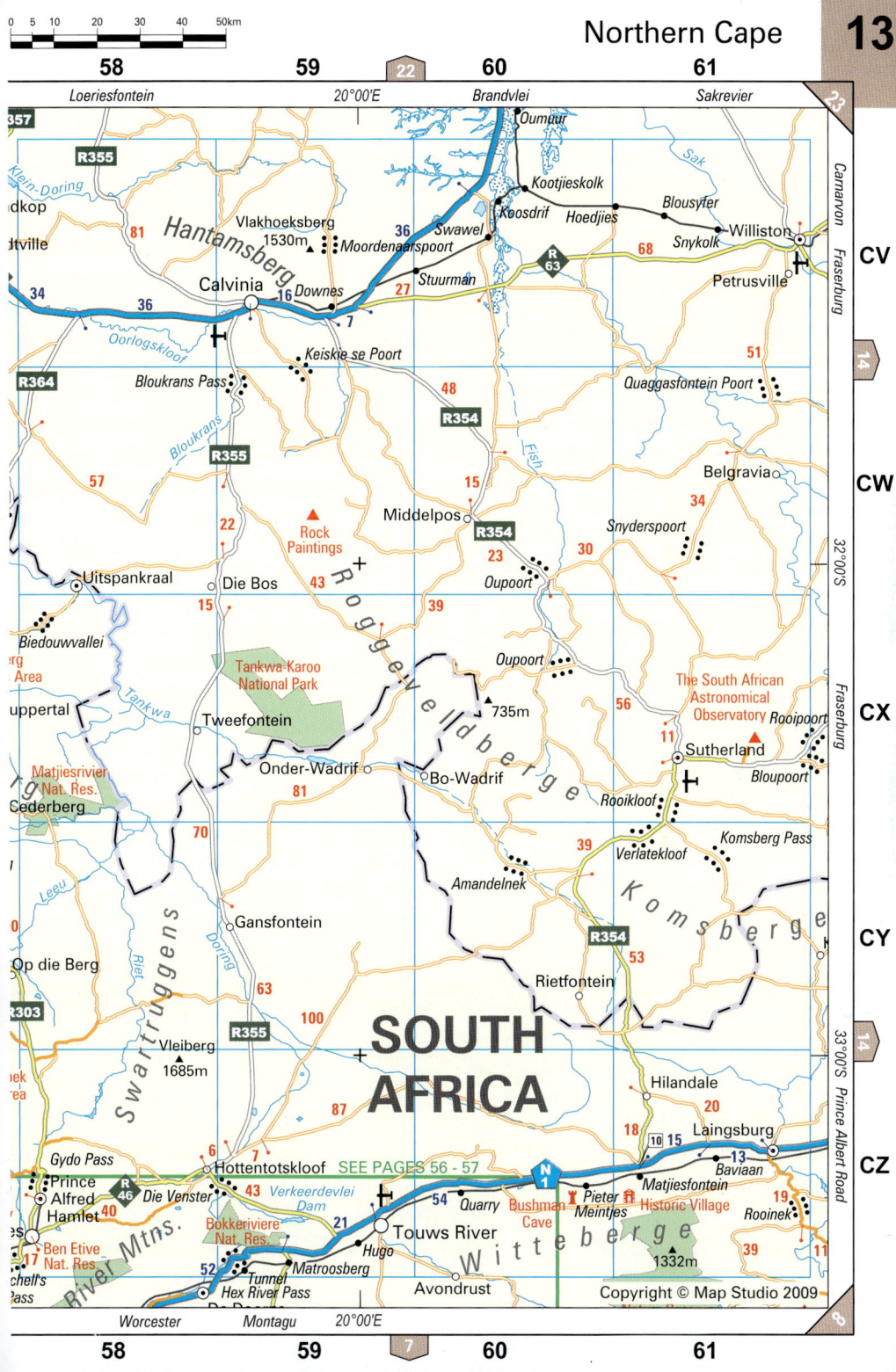

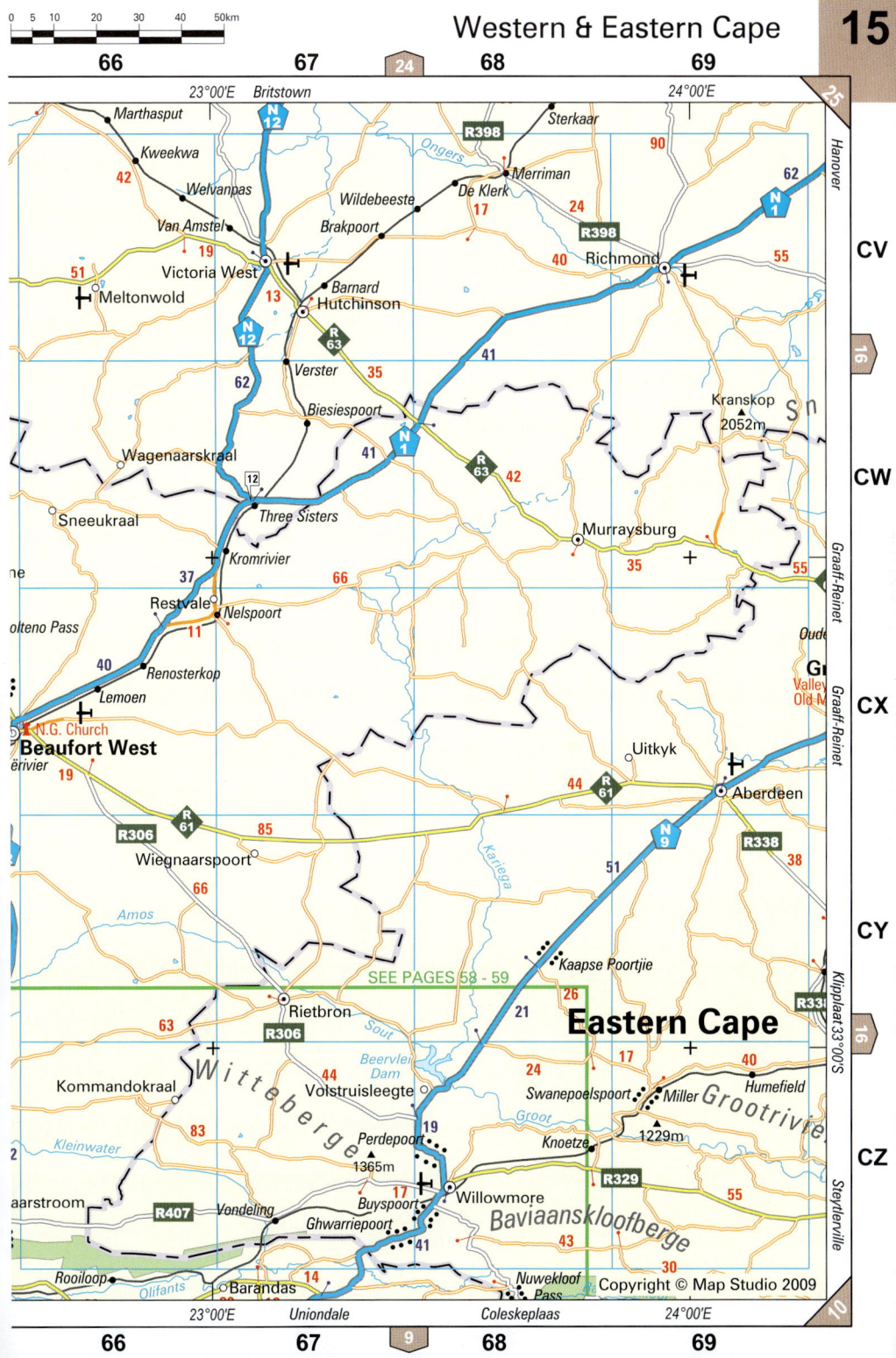

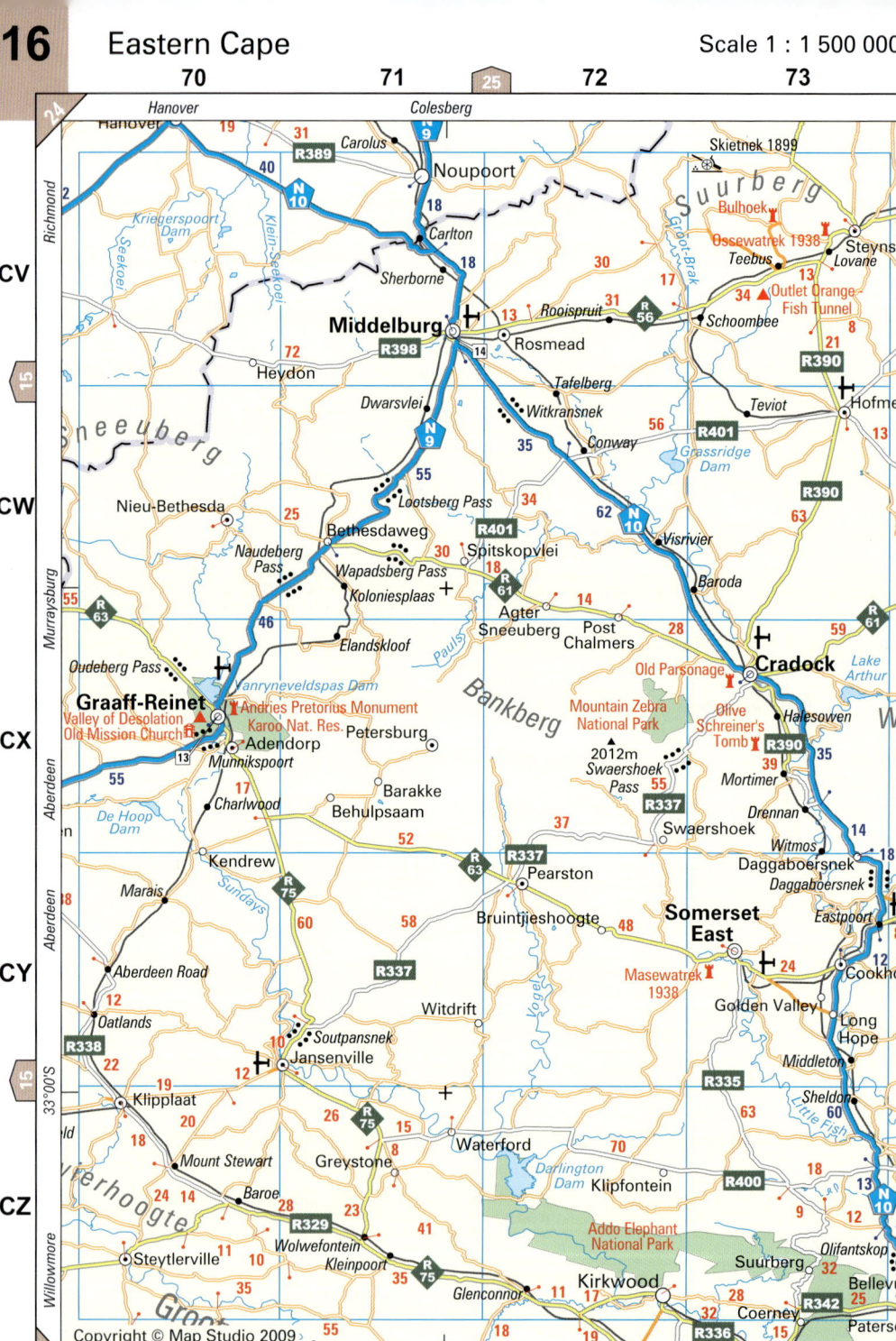

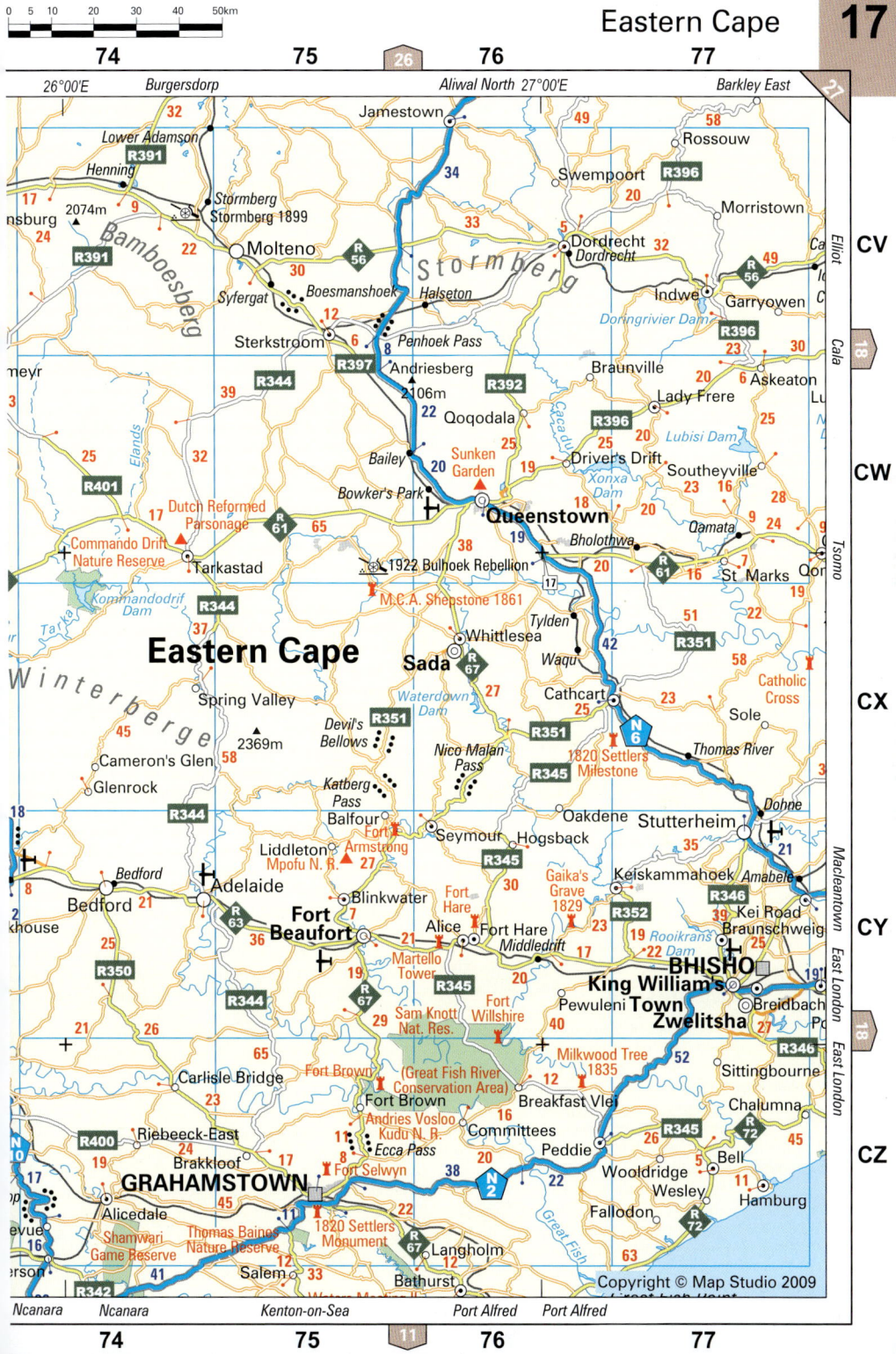

# Eastern Cape

Scale 1 : 1 500 000

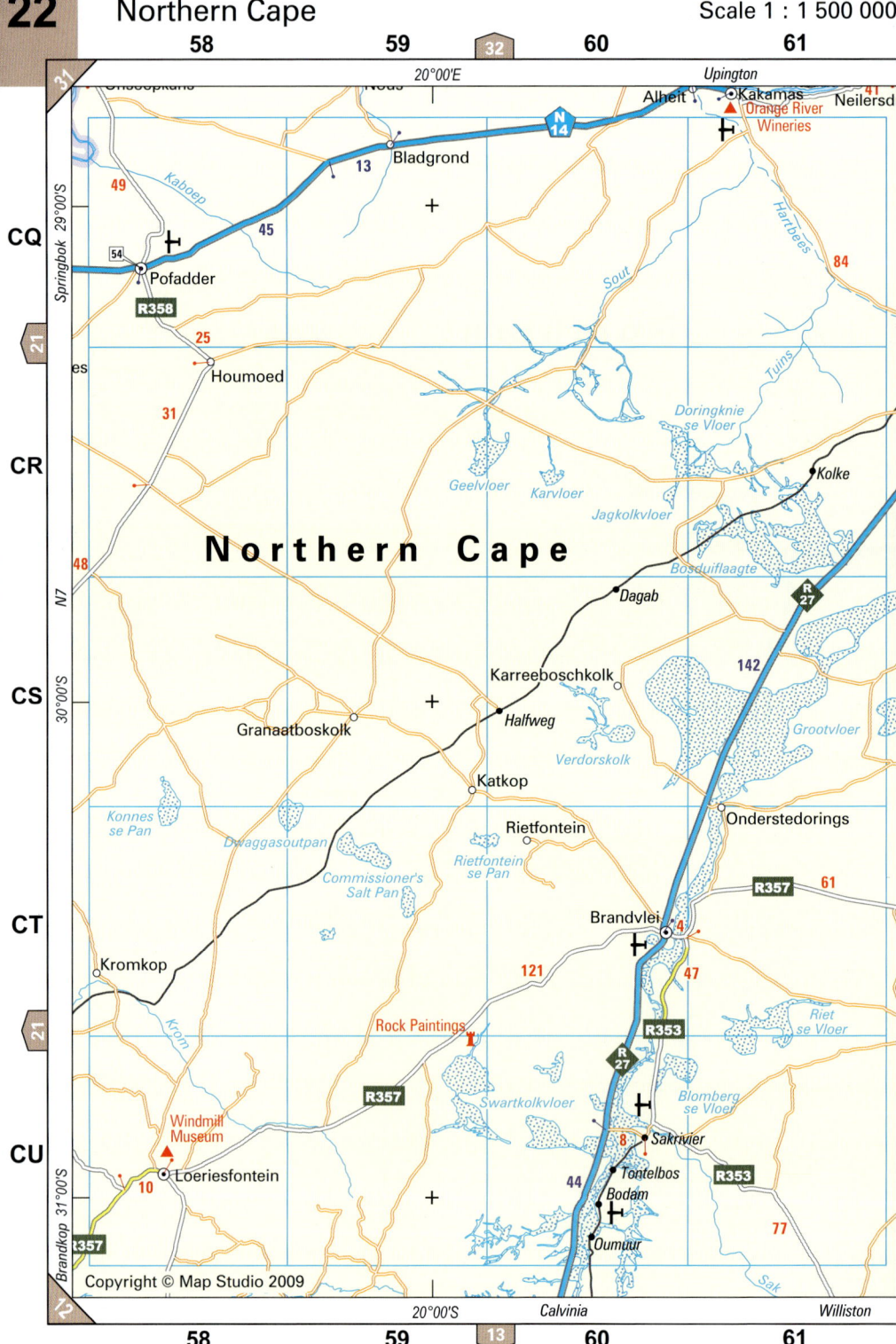

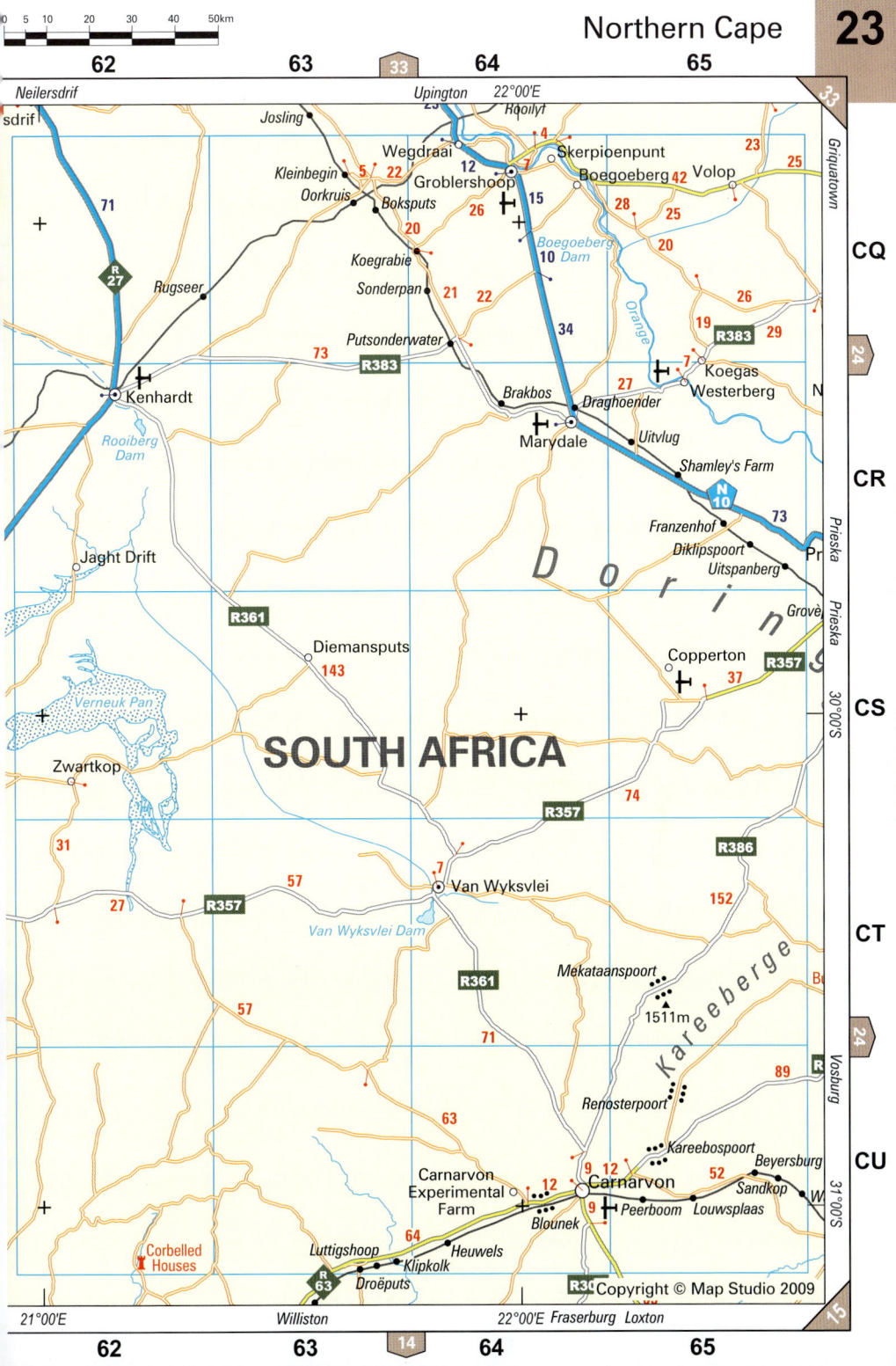

# 24 Northern Cape

Scale 1 : 1 500 000

# 26 Free State

Scale 1 : 1 500 000

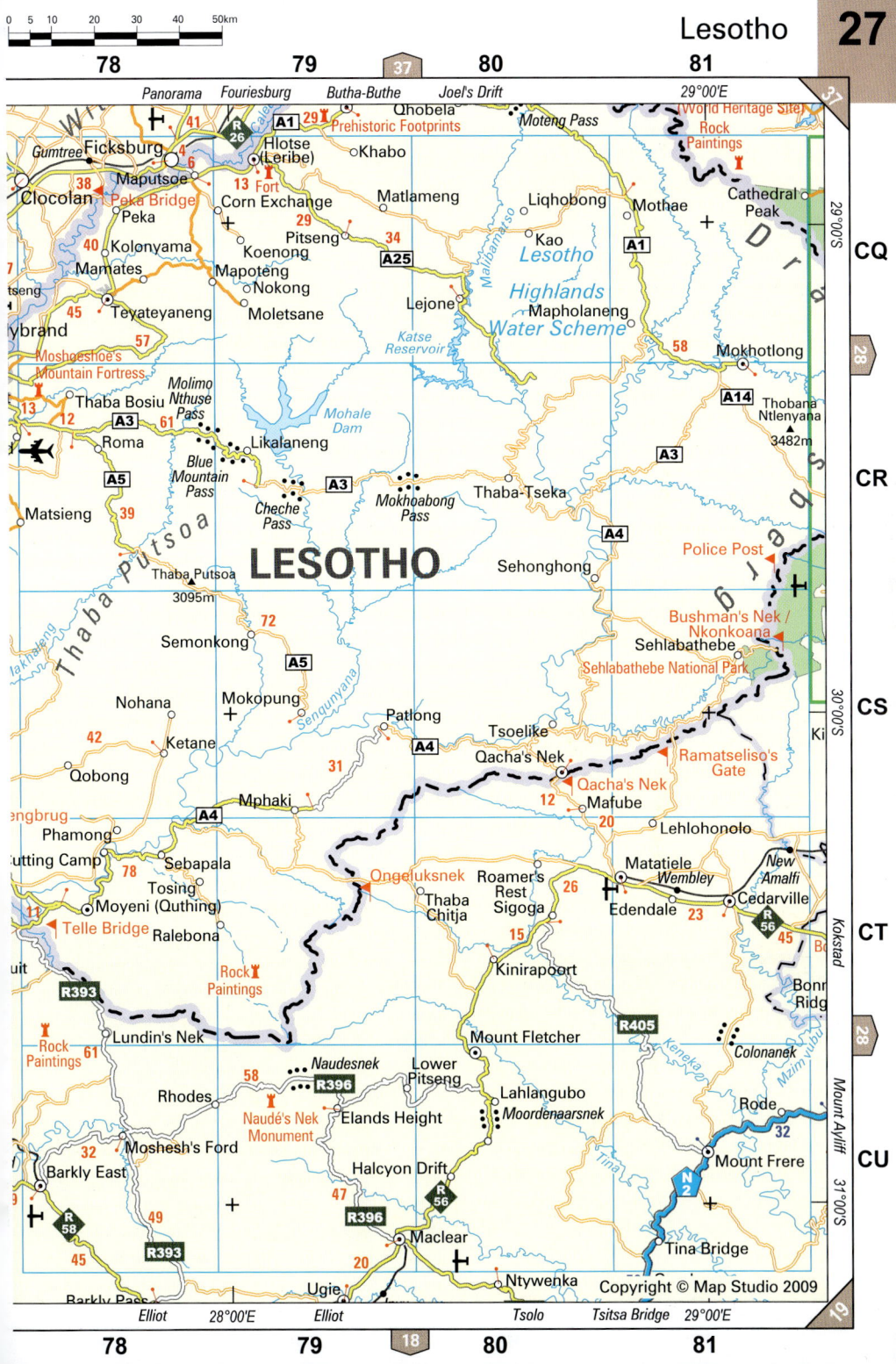

# KwaZulu-Natal

Scale 1 : 1 500 000

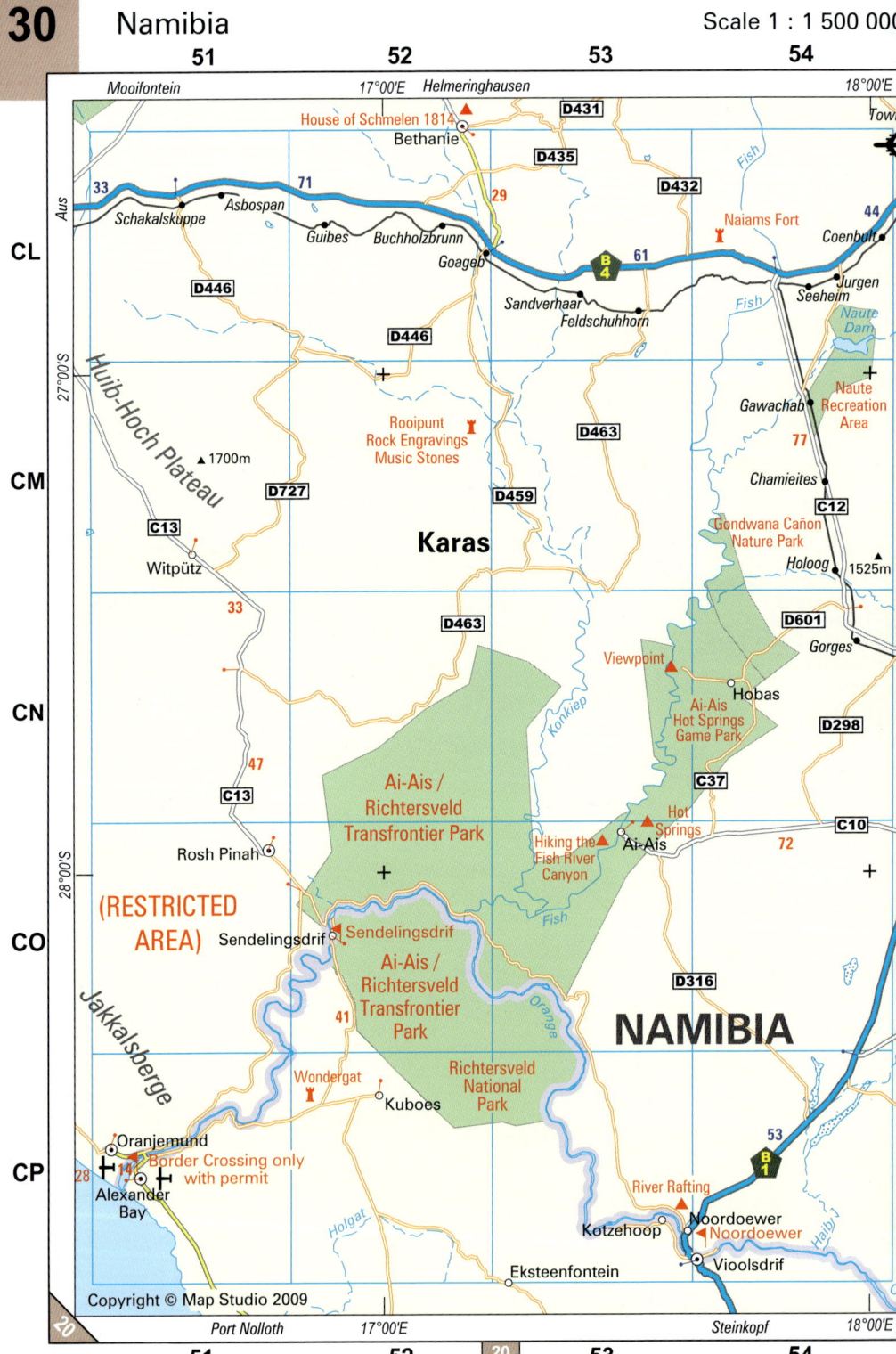

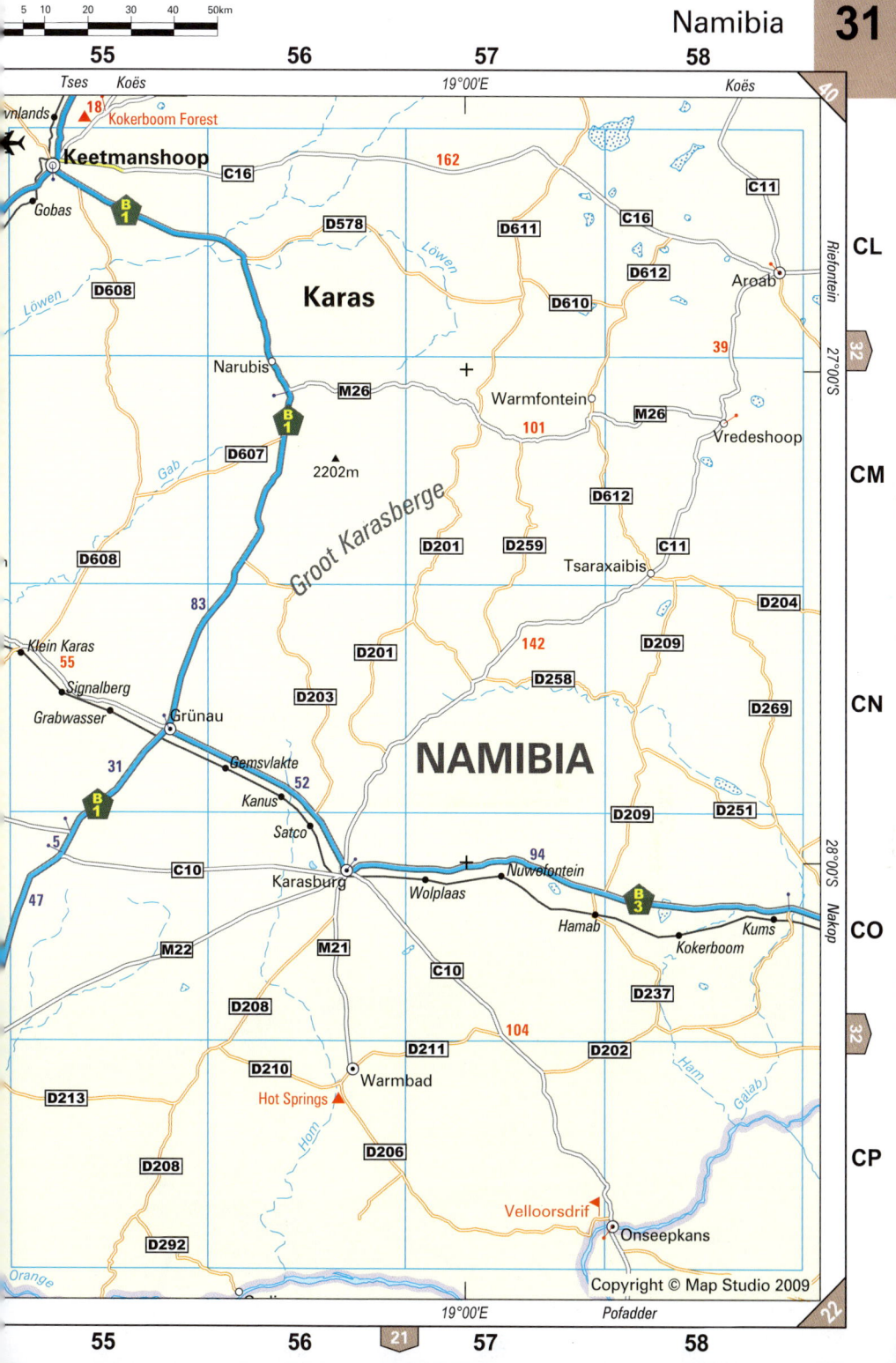

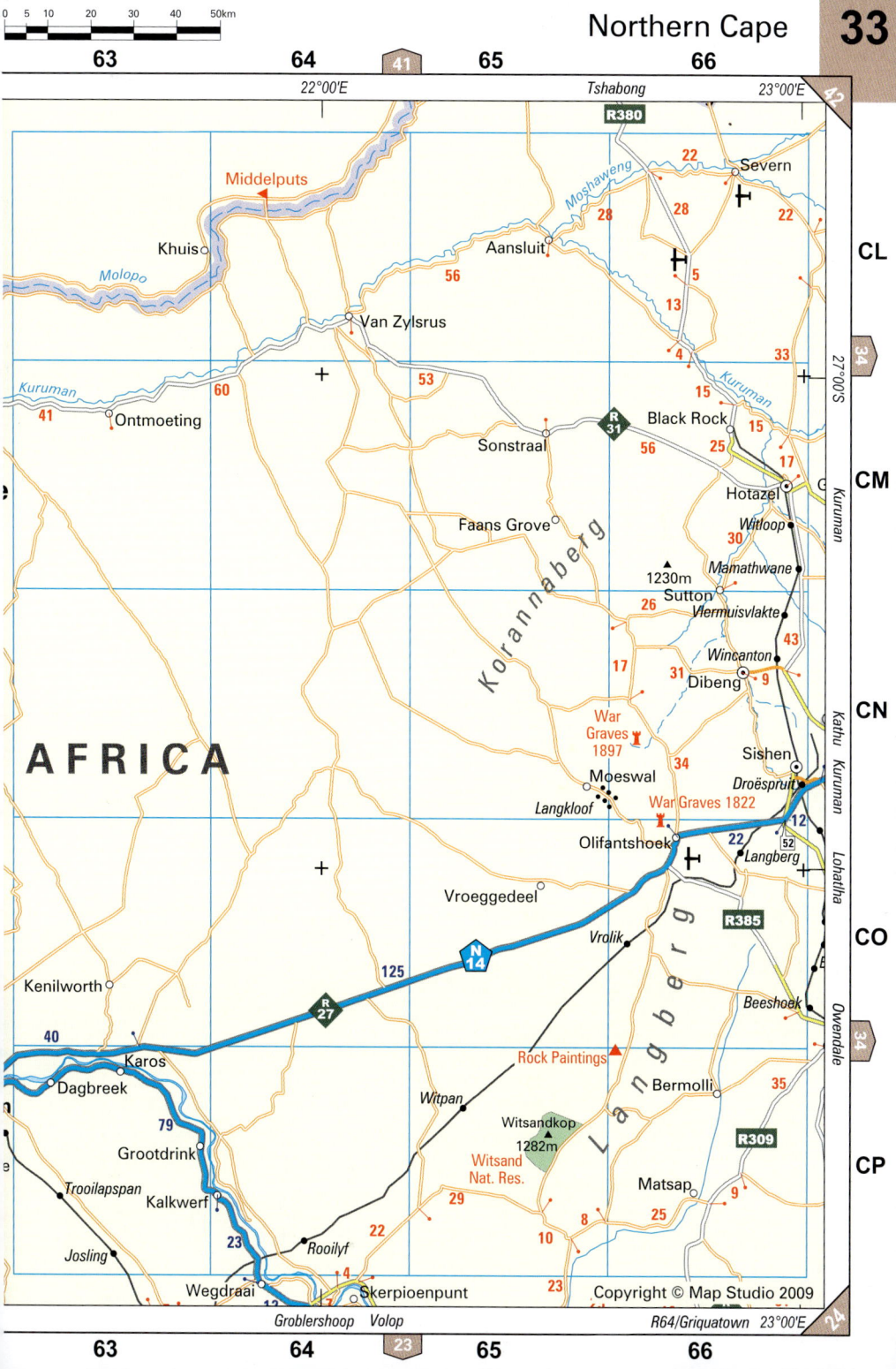

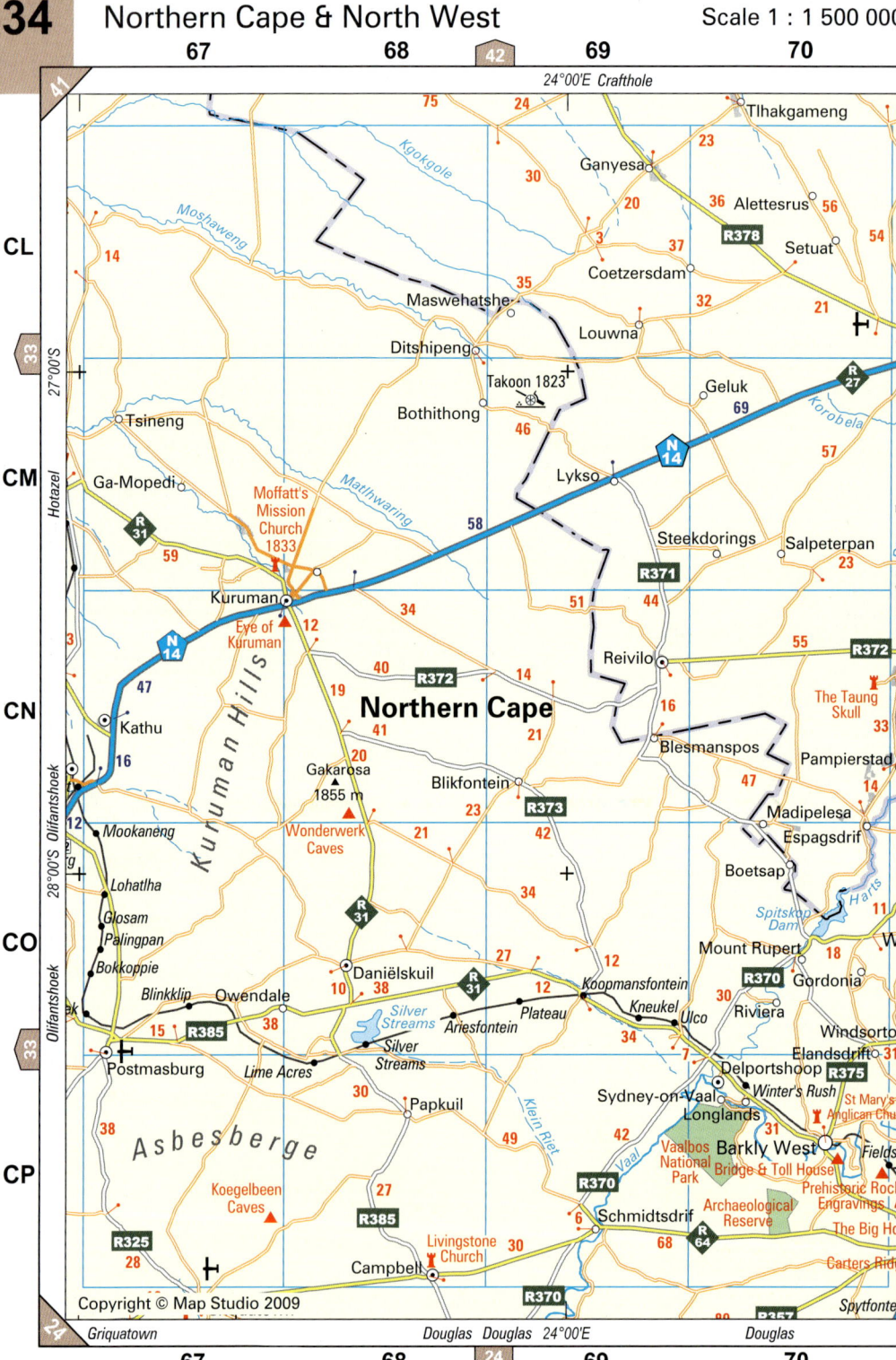

# 36 Free State

Scale 1 : 1 500 000

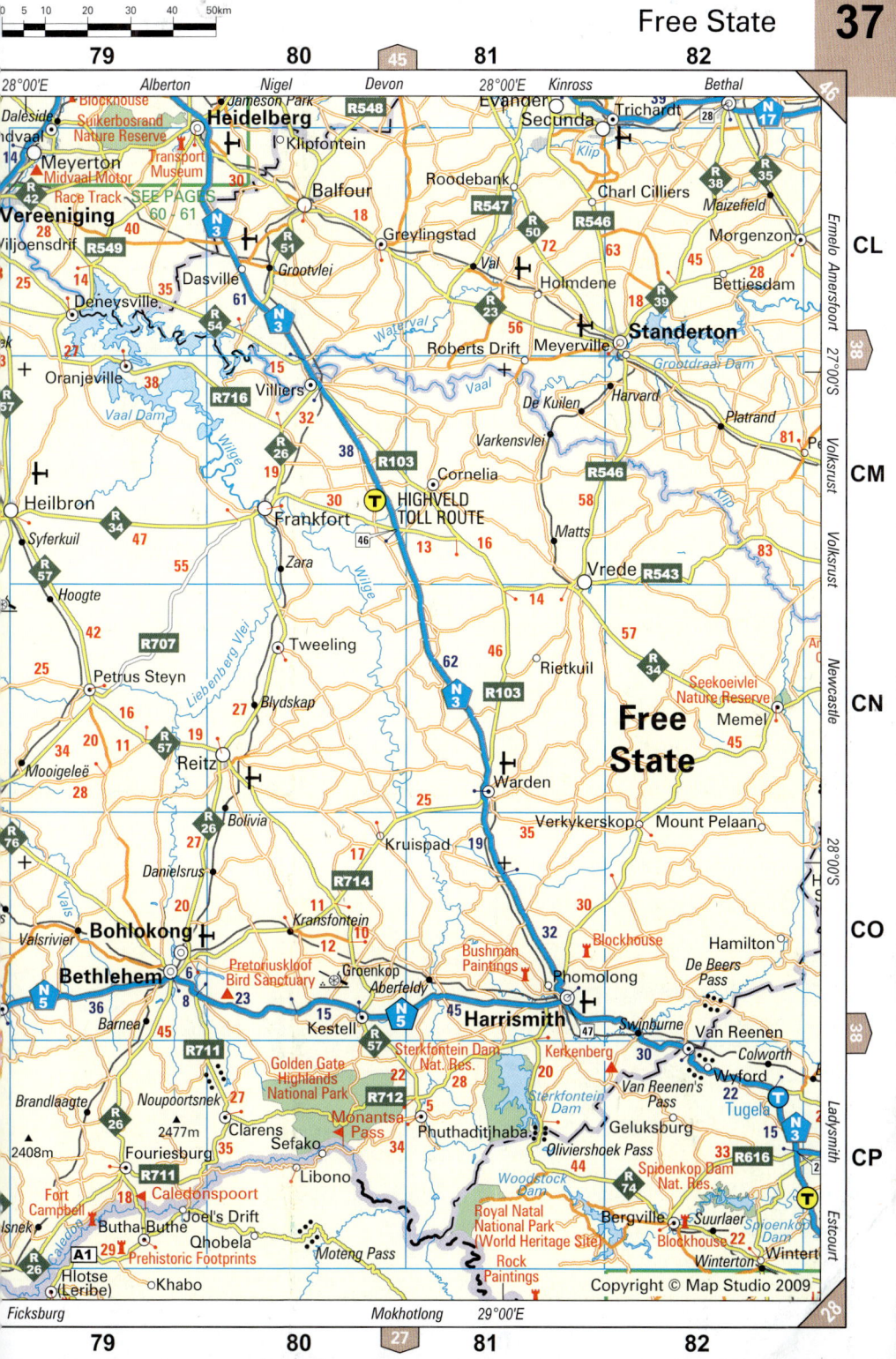

# KwaZulu-Natal

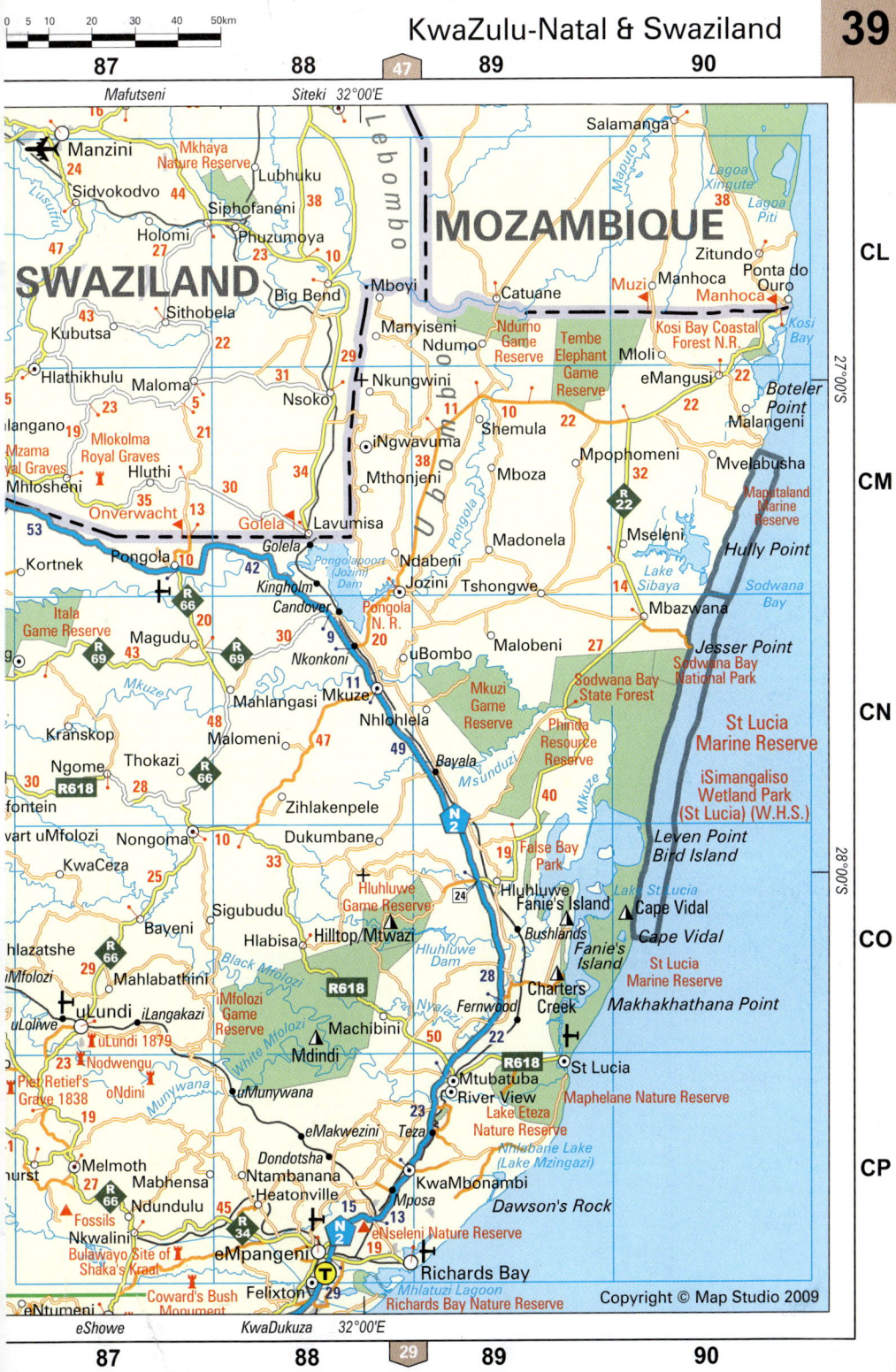

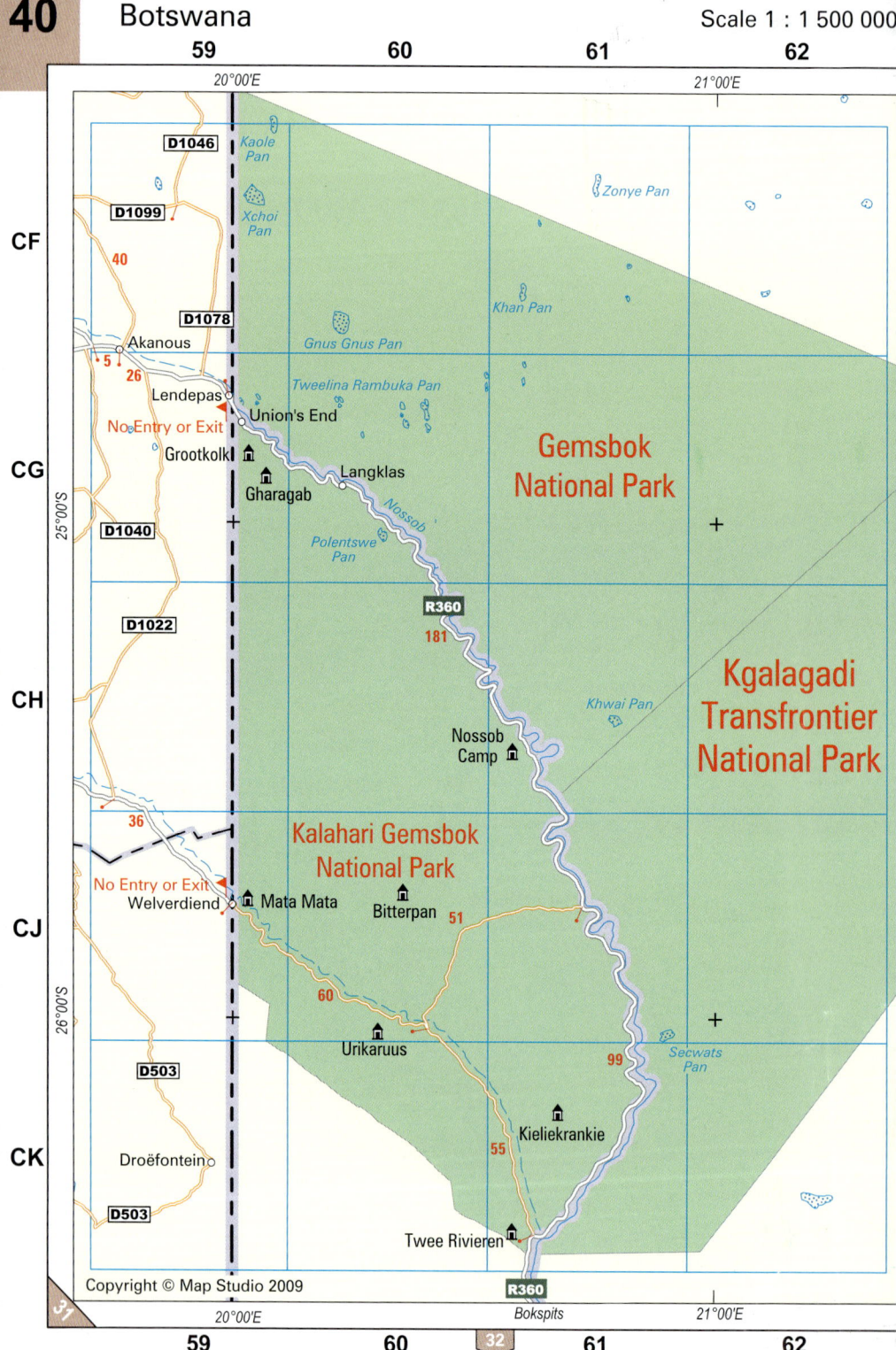

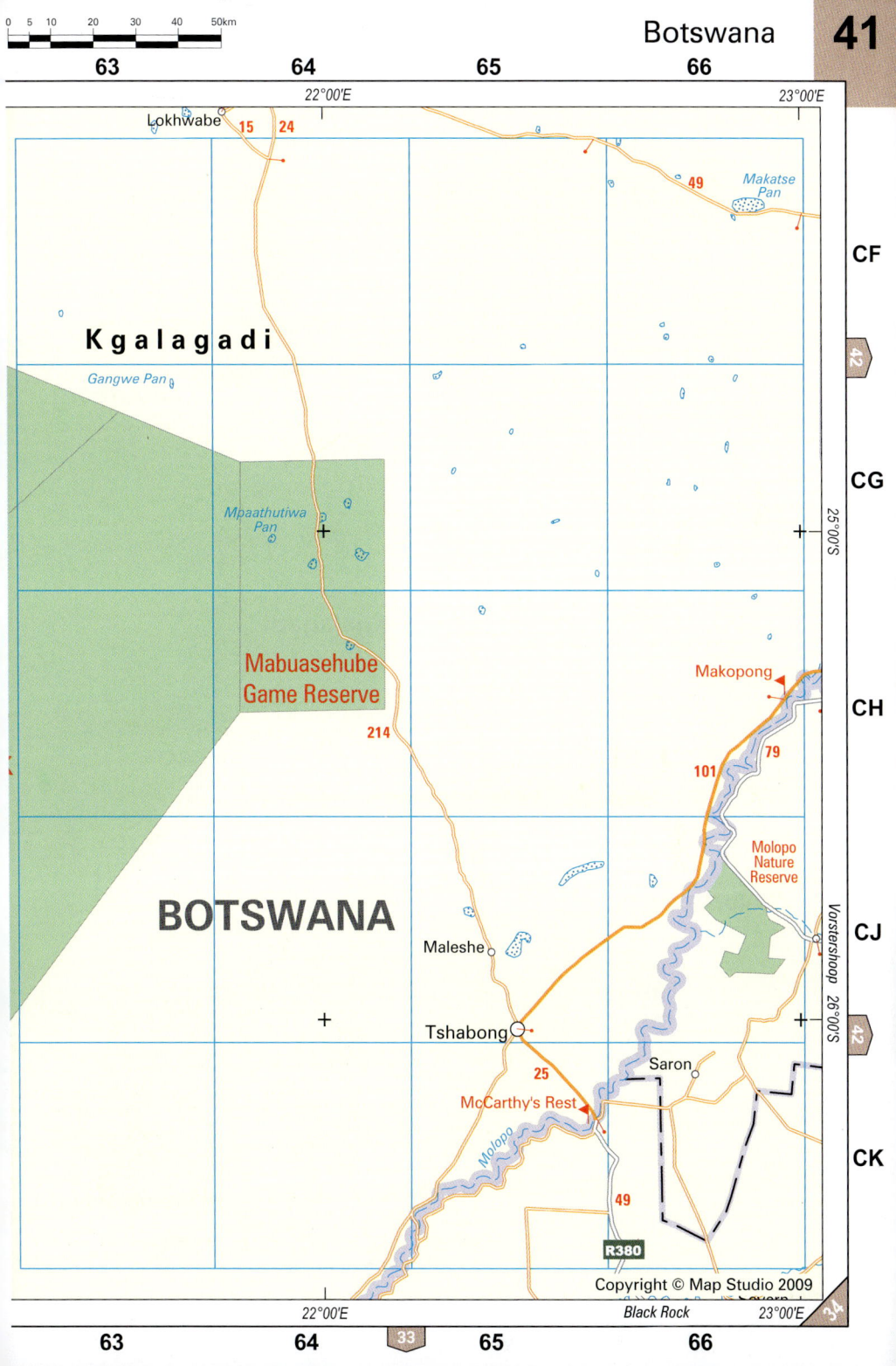

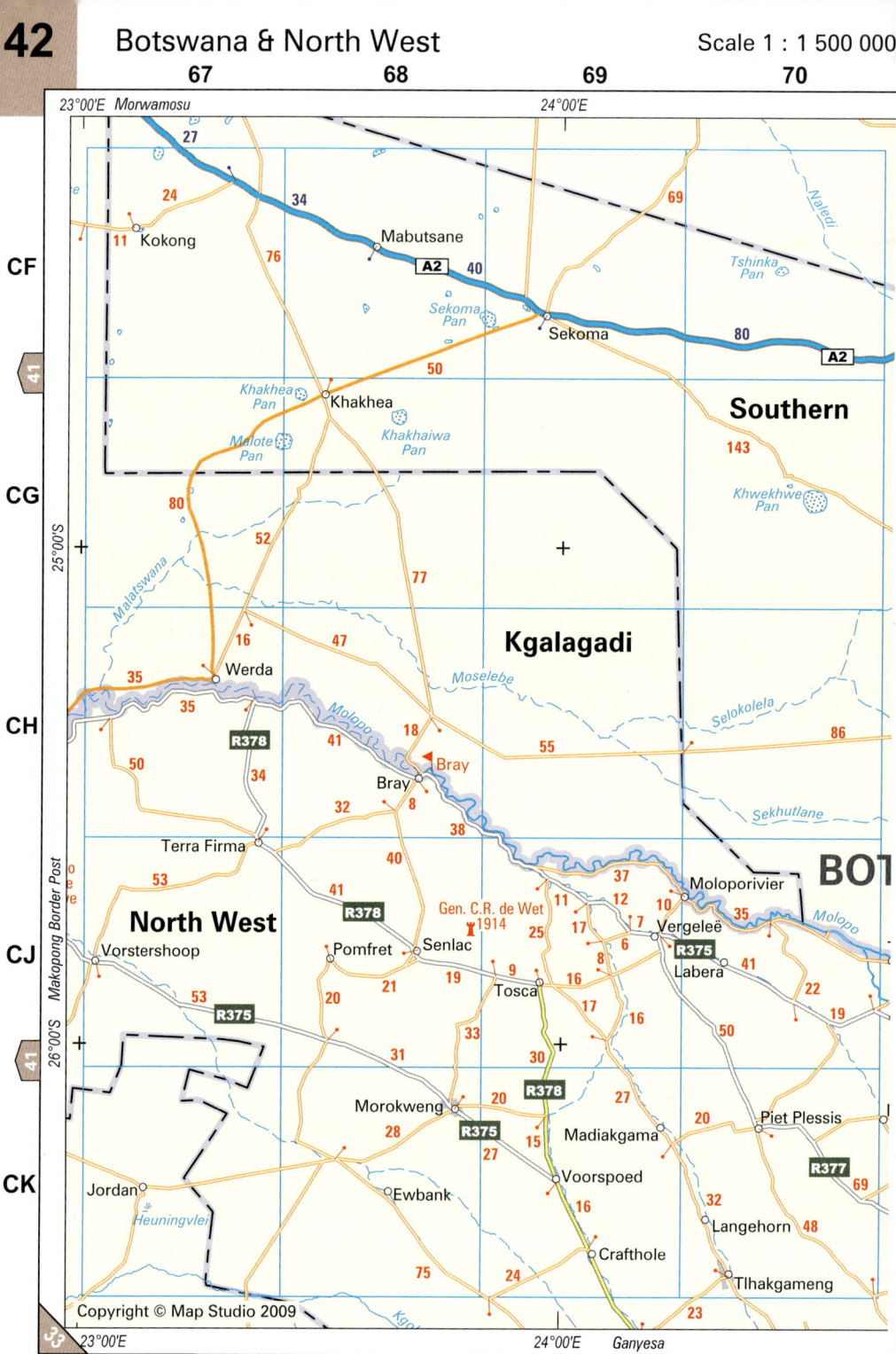

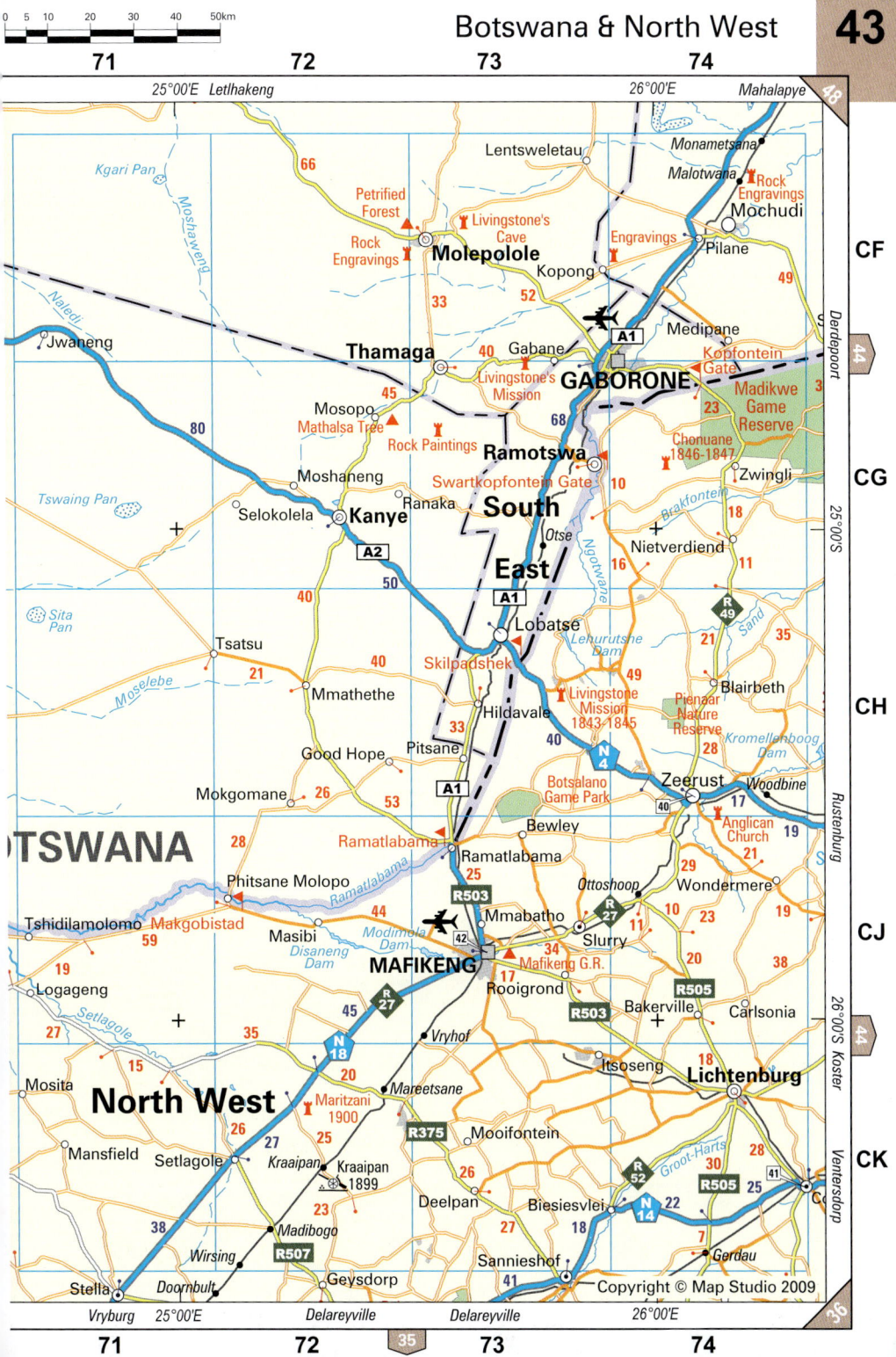

# 44

## North West & Limpopo

Scale 1 : 1 500 000

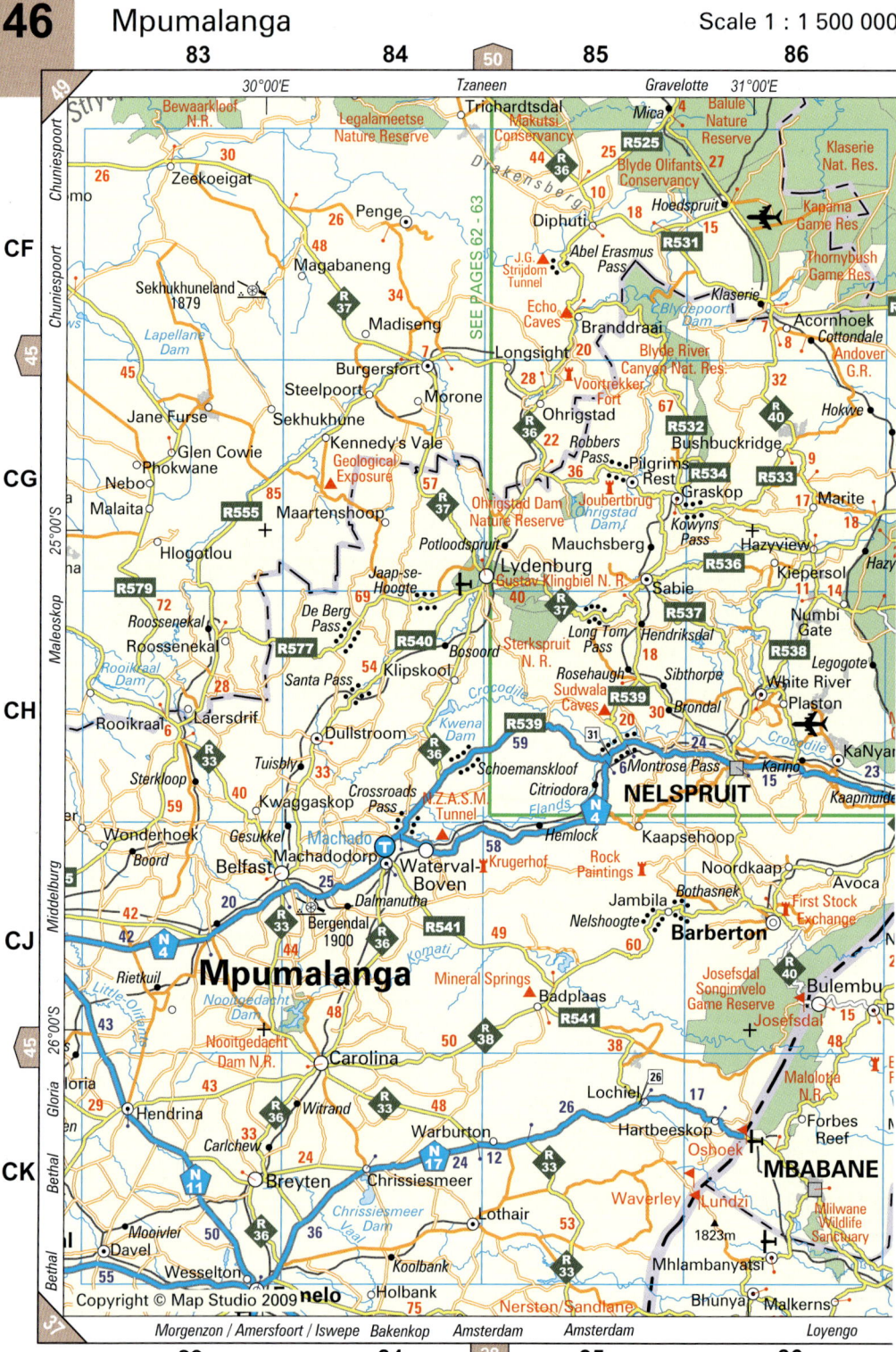

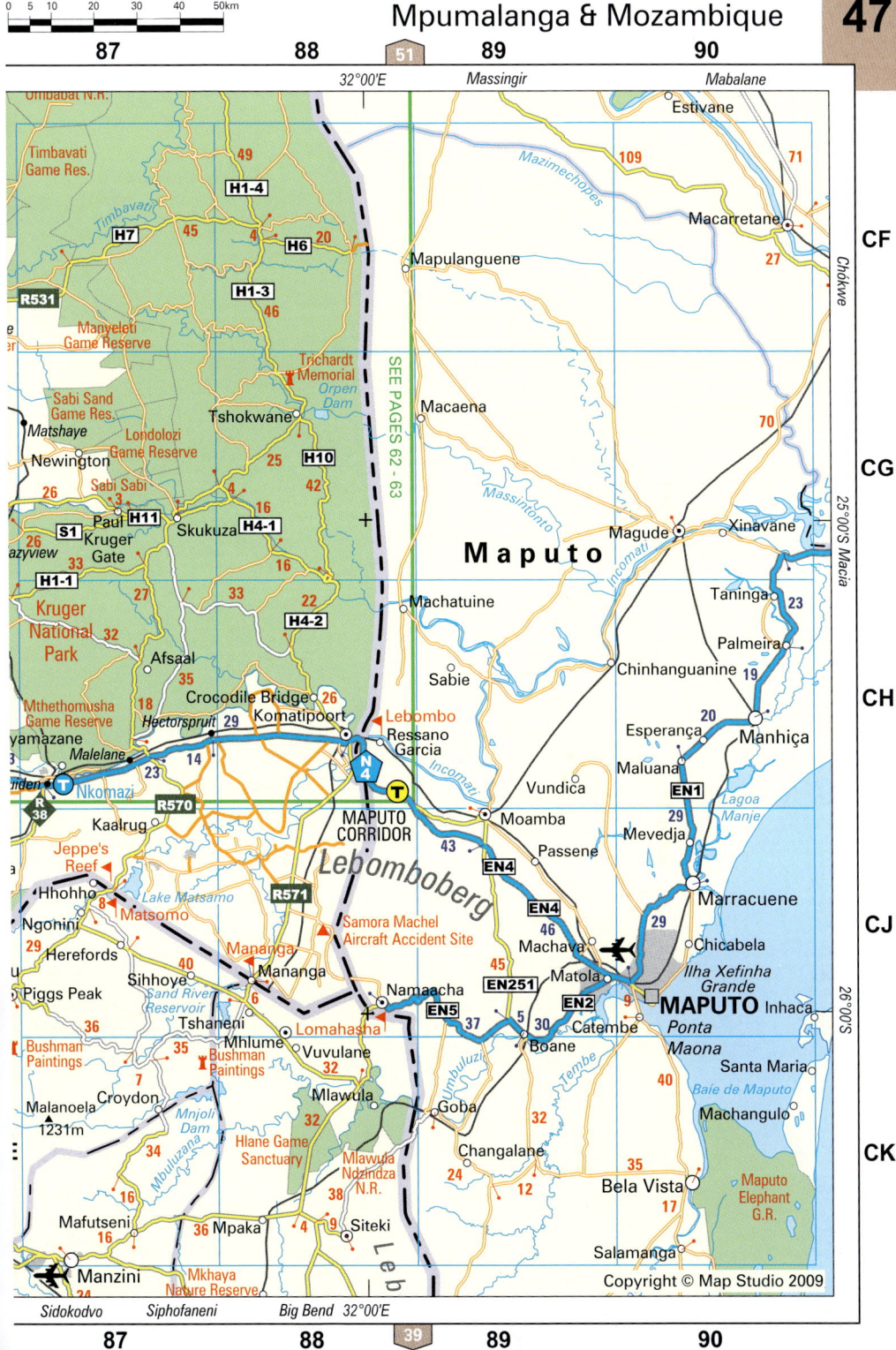

# Botswana

Scale 1 : 1 500 000

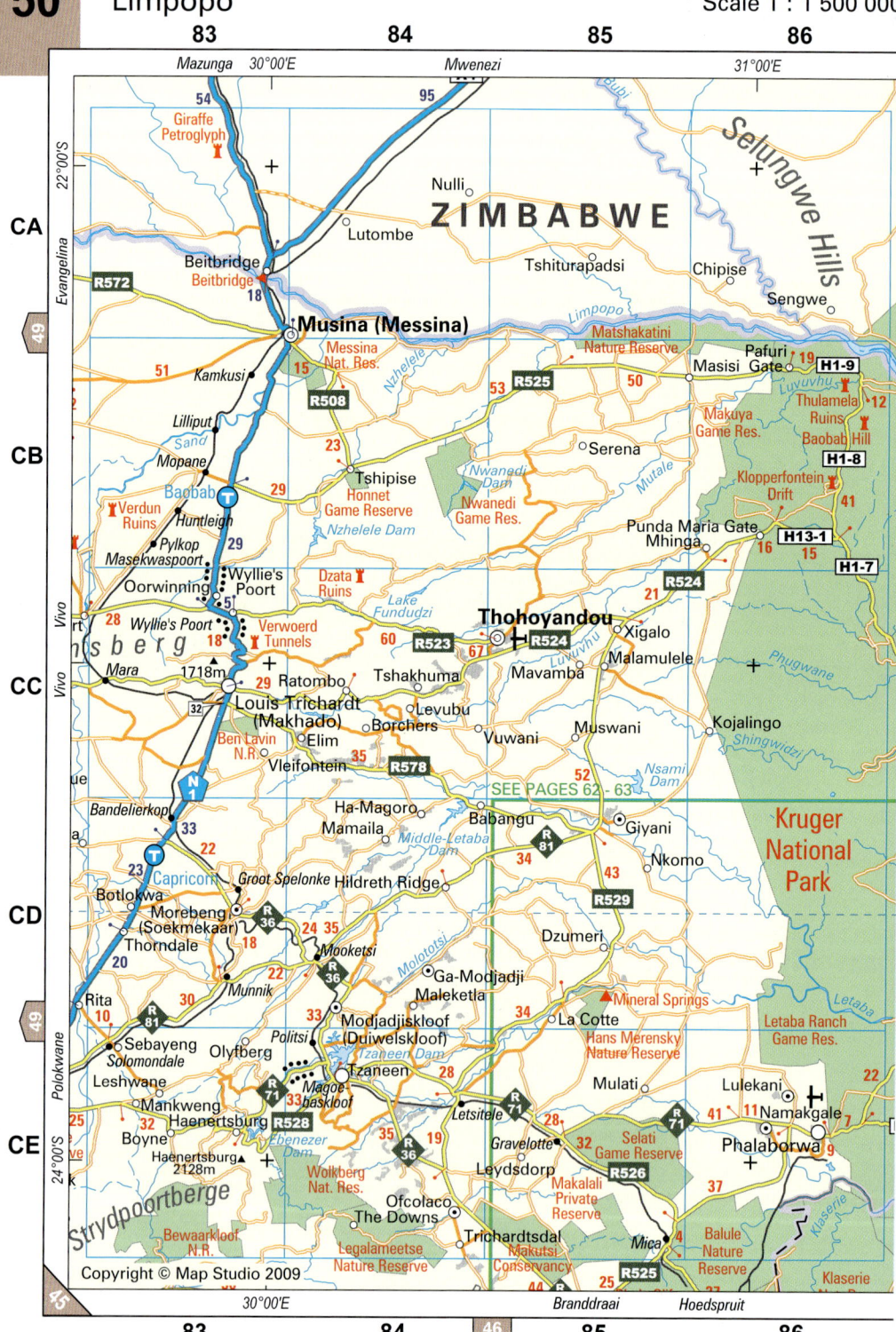

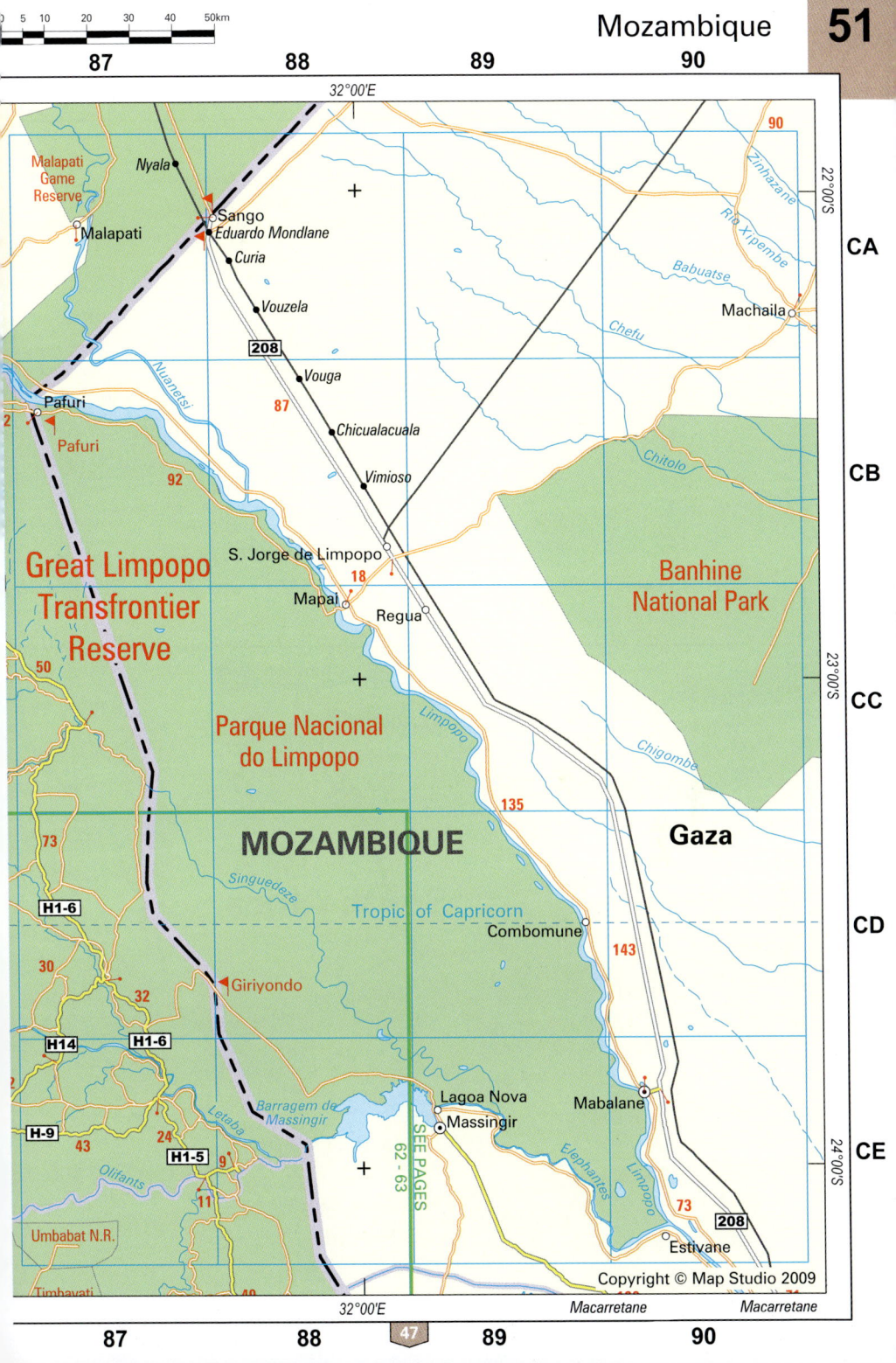

# 52 Key Plan to Tourist Area Maps — Scale 1 : 8 500 000

# Key Plan to Tourist Area Maps 53

# 54 Cape Peninsula

Scale 1 : 250 000

# Cape Peninsula

# 56 South Western Cape & Overberg

Scale 1 : 1 000 000

# 58 Garden Route

Scale 1 : 1 000 000

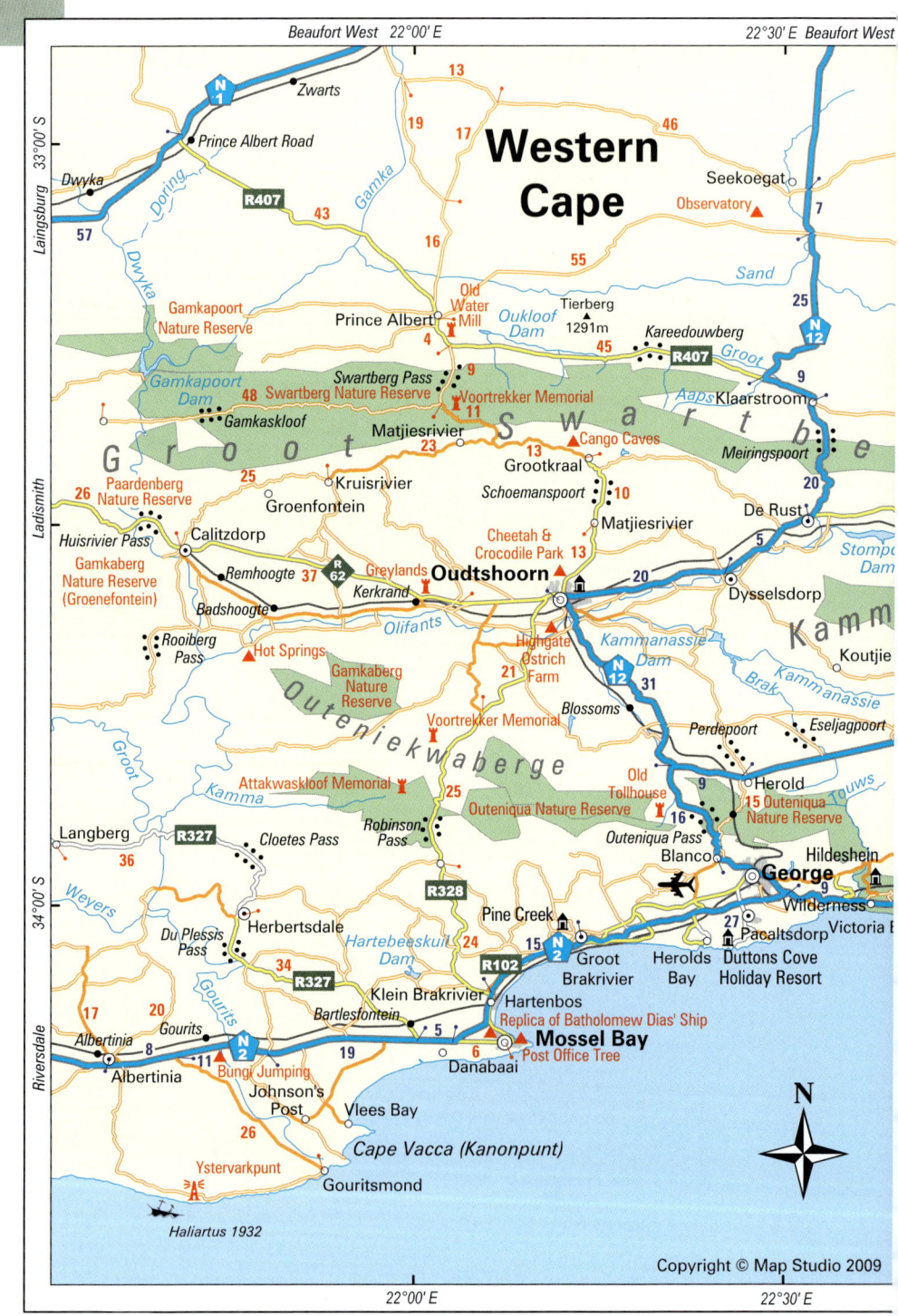

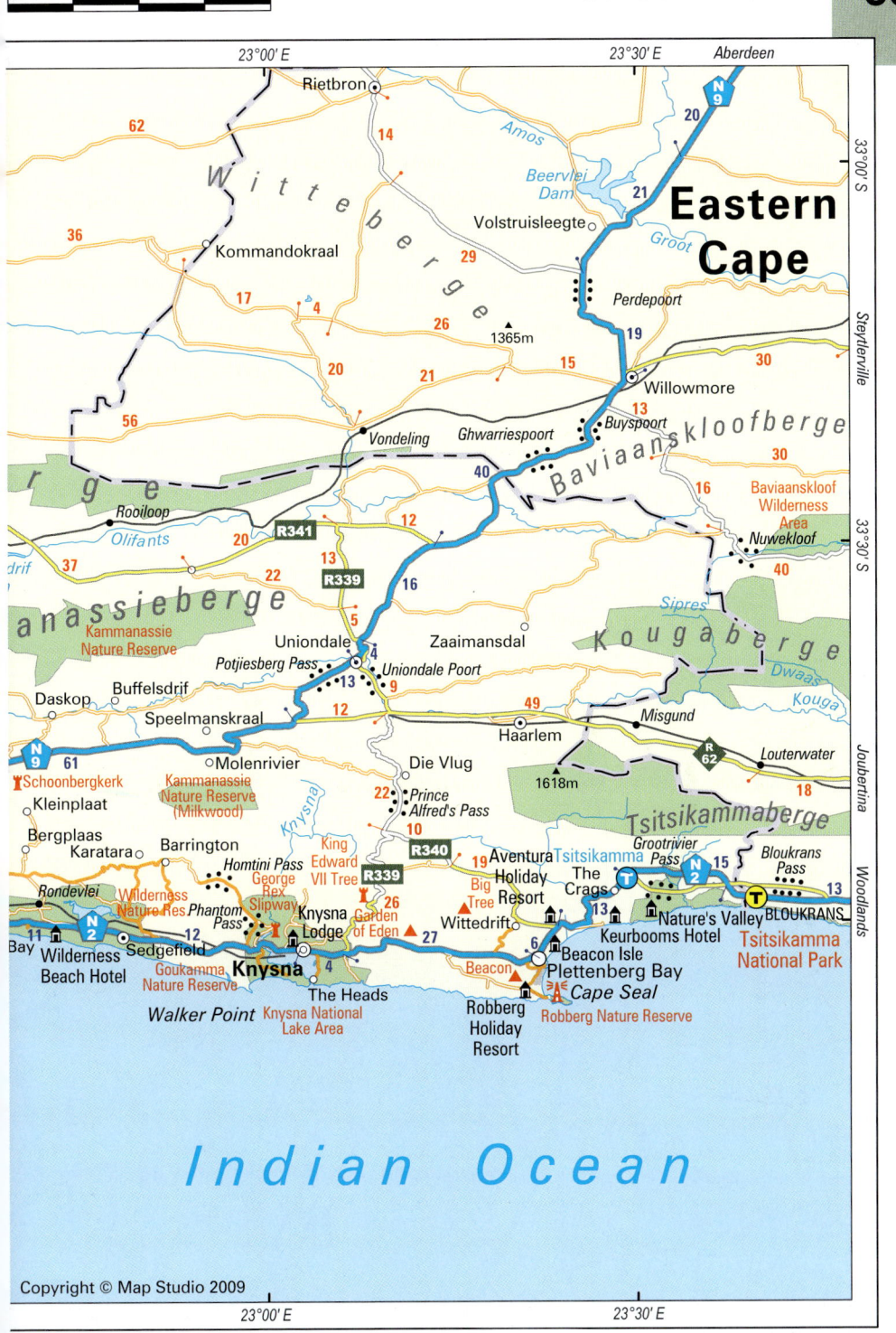

# 60 Gauteng

Scale 1 : 500 000

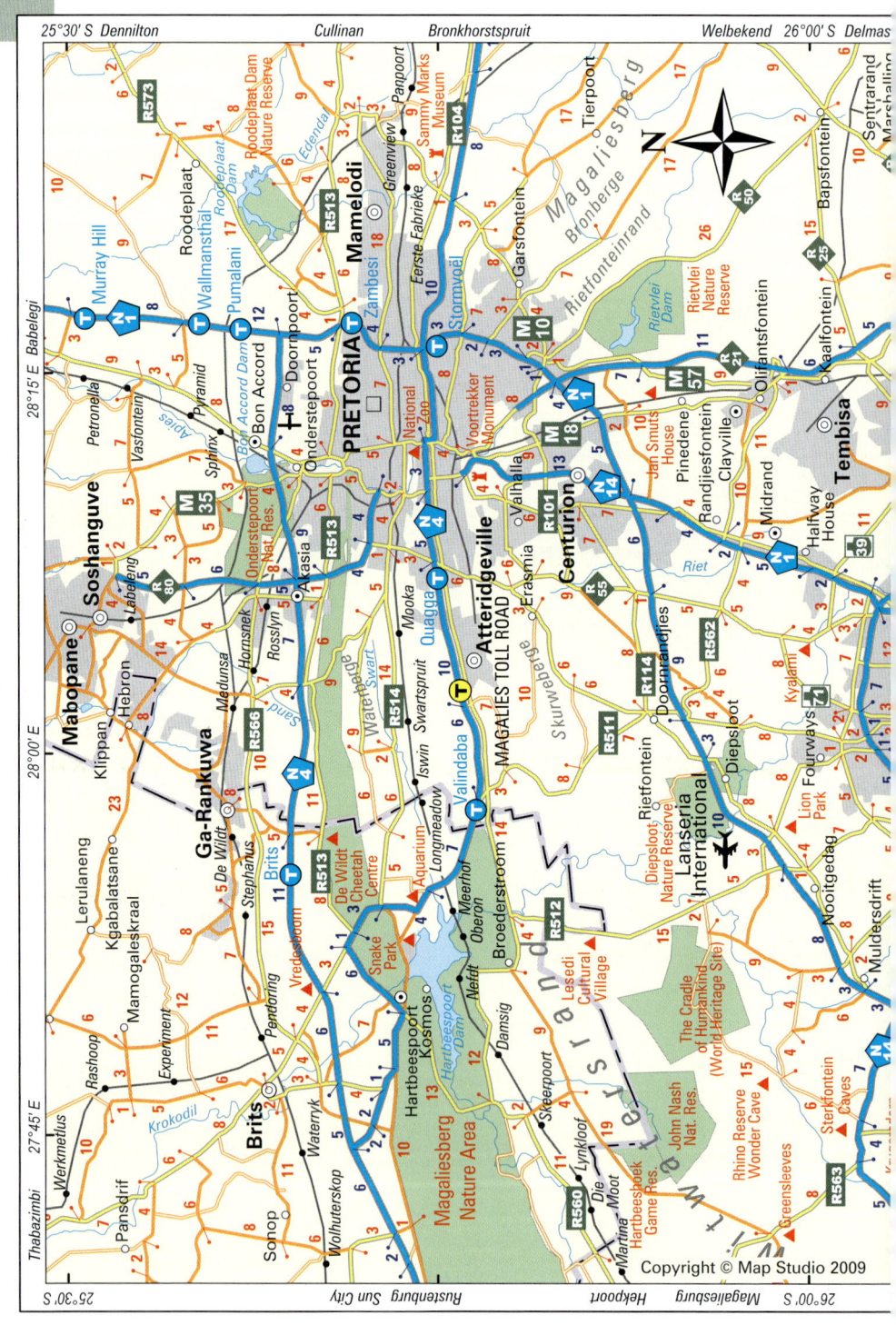

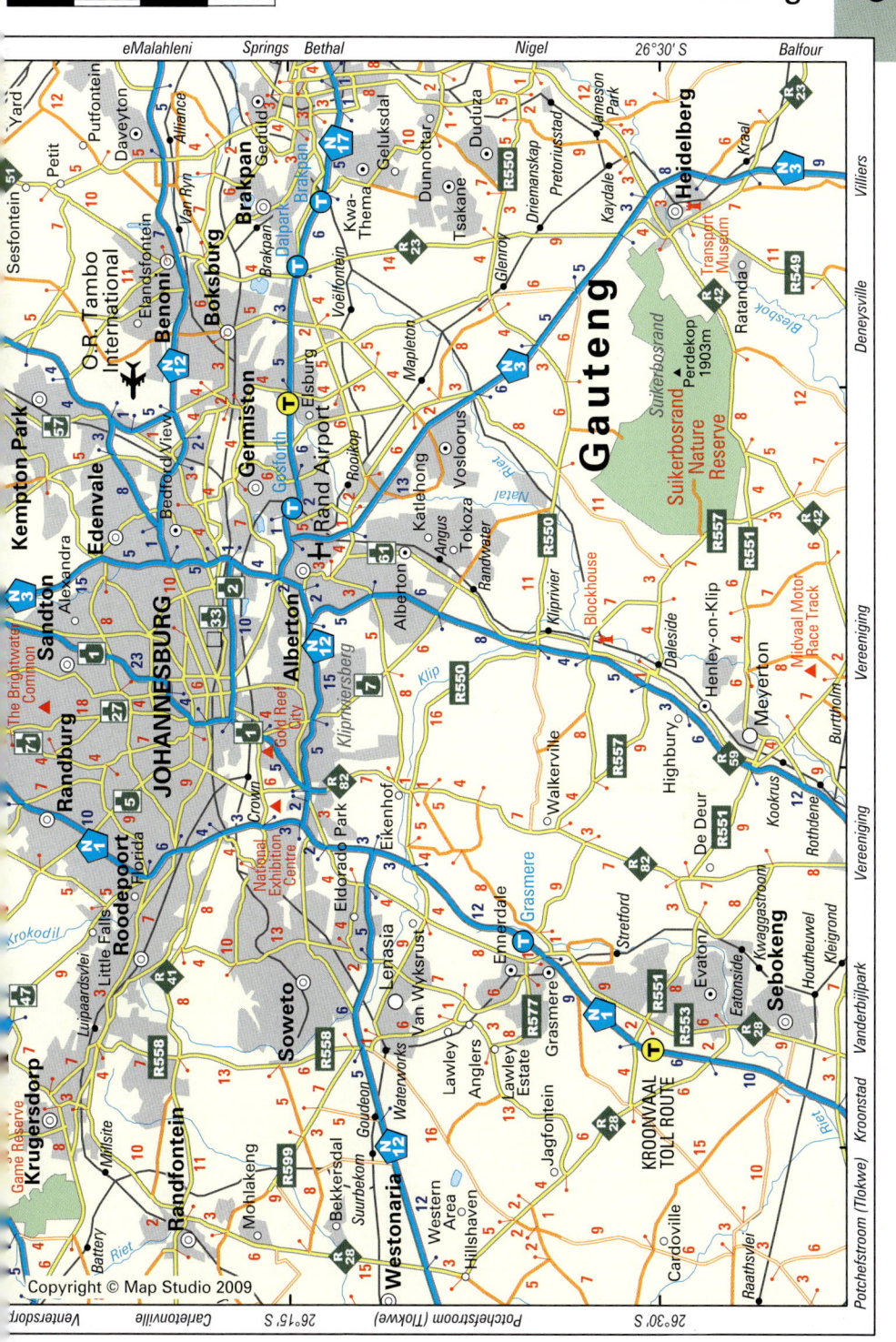

# Kruger National Park

Scale 1 : 1 000 000

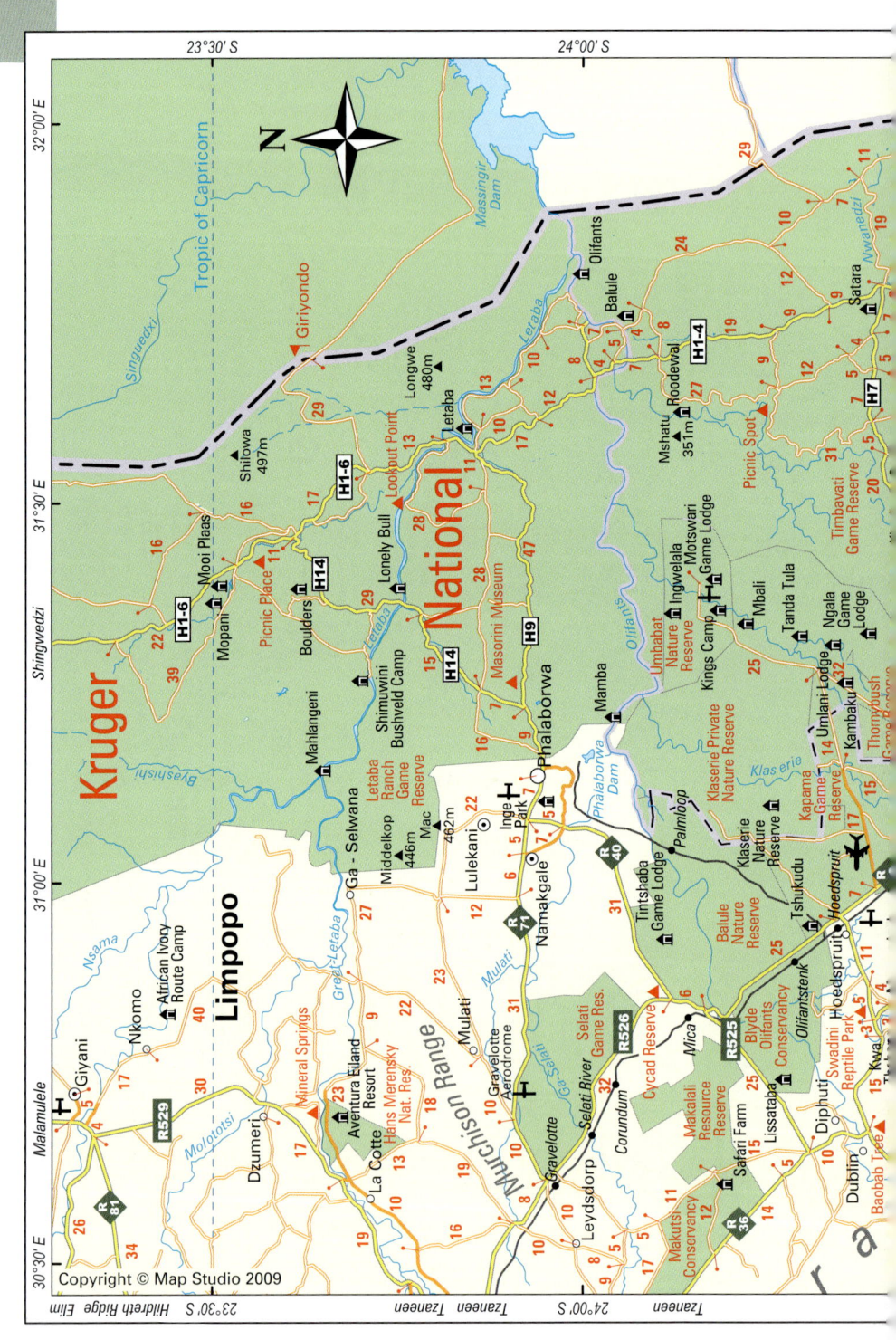

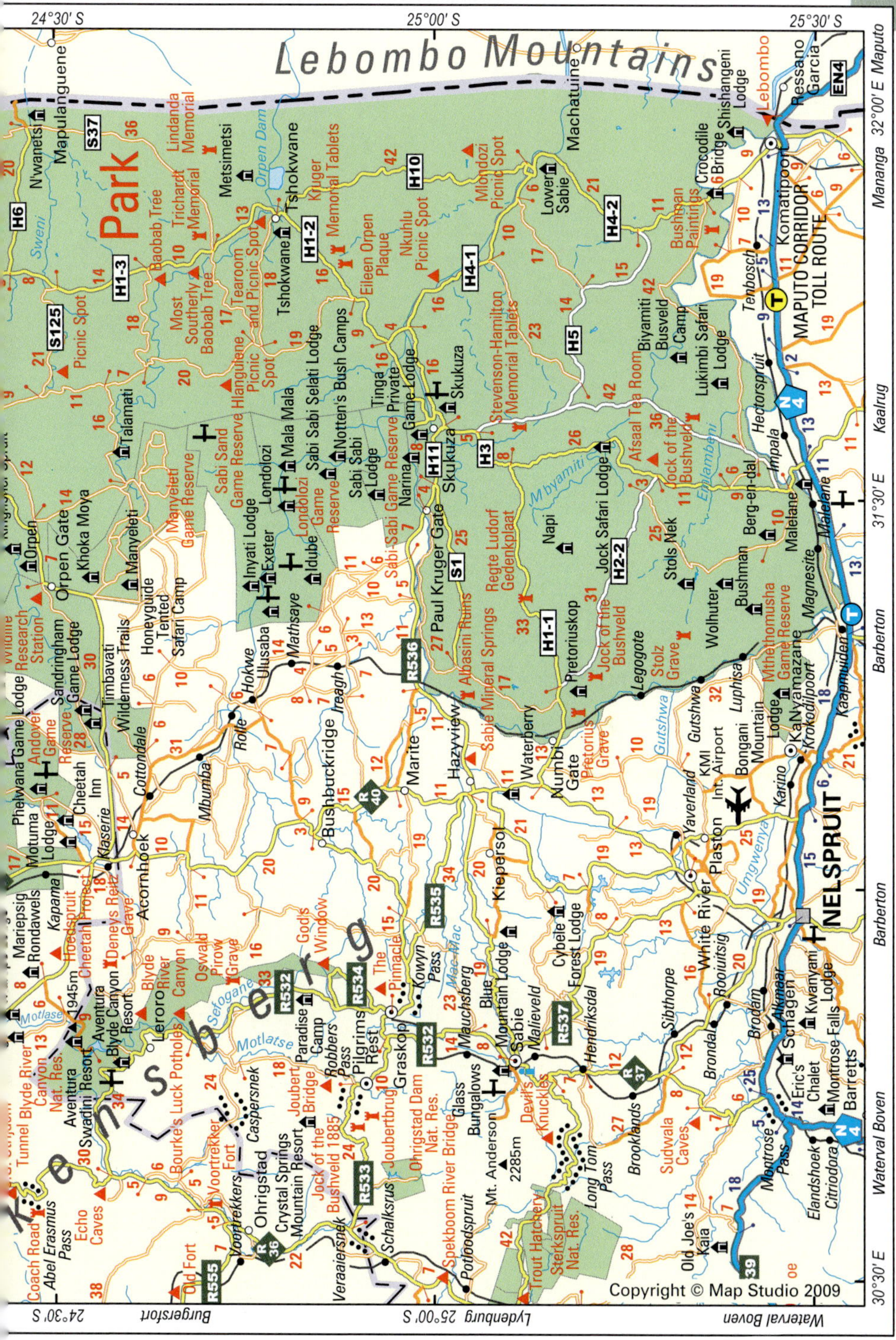

# 64 Drakensberg

Scale 1 : 500 000

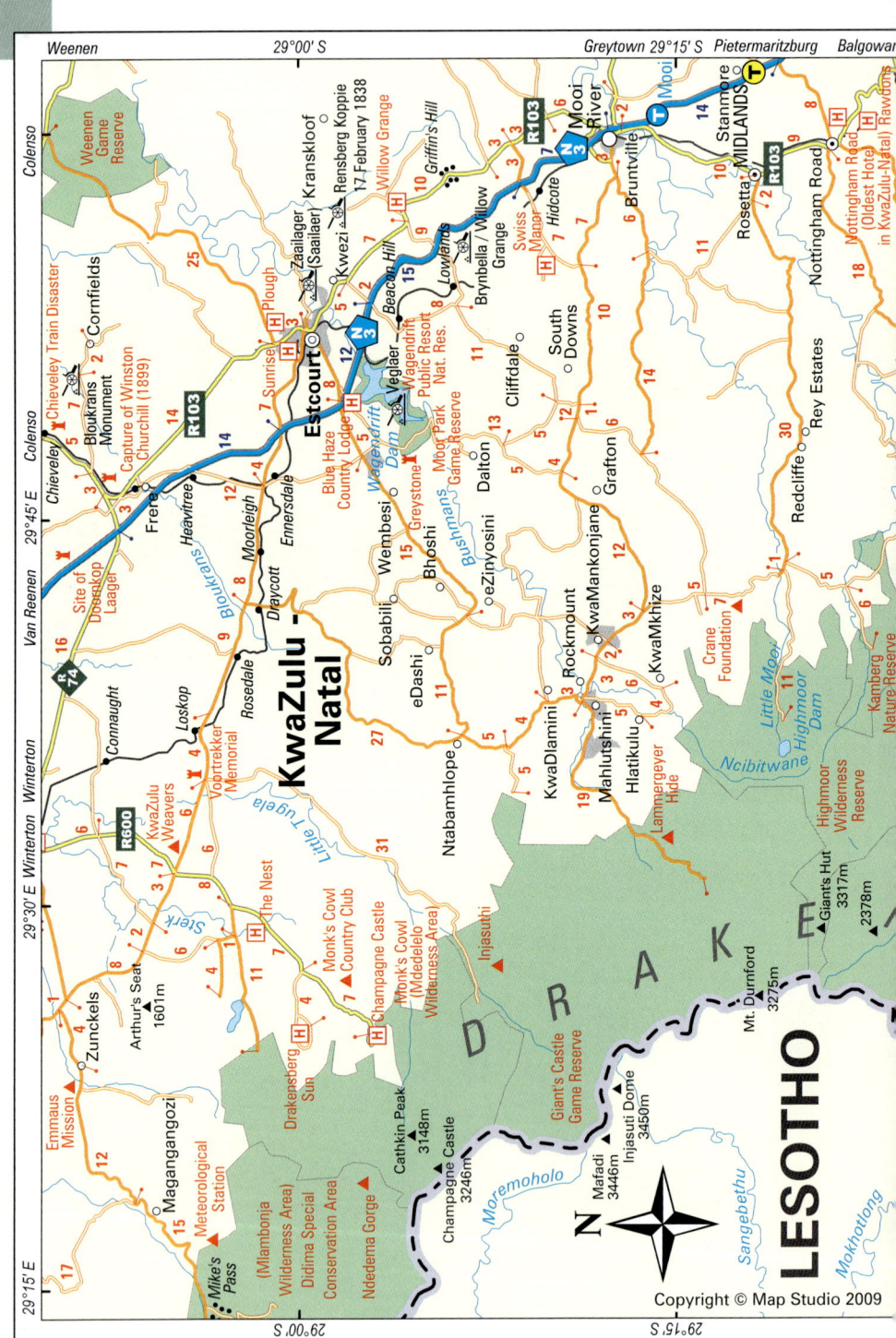

# Drakensberg 65

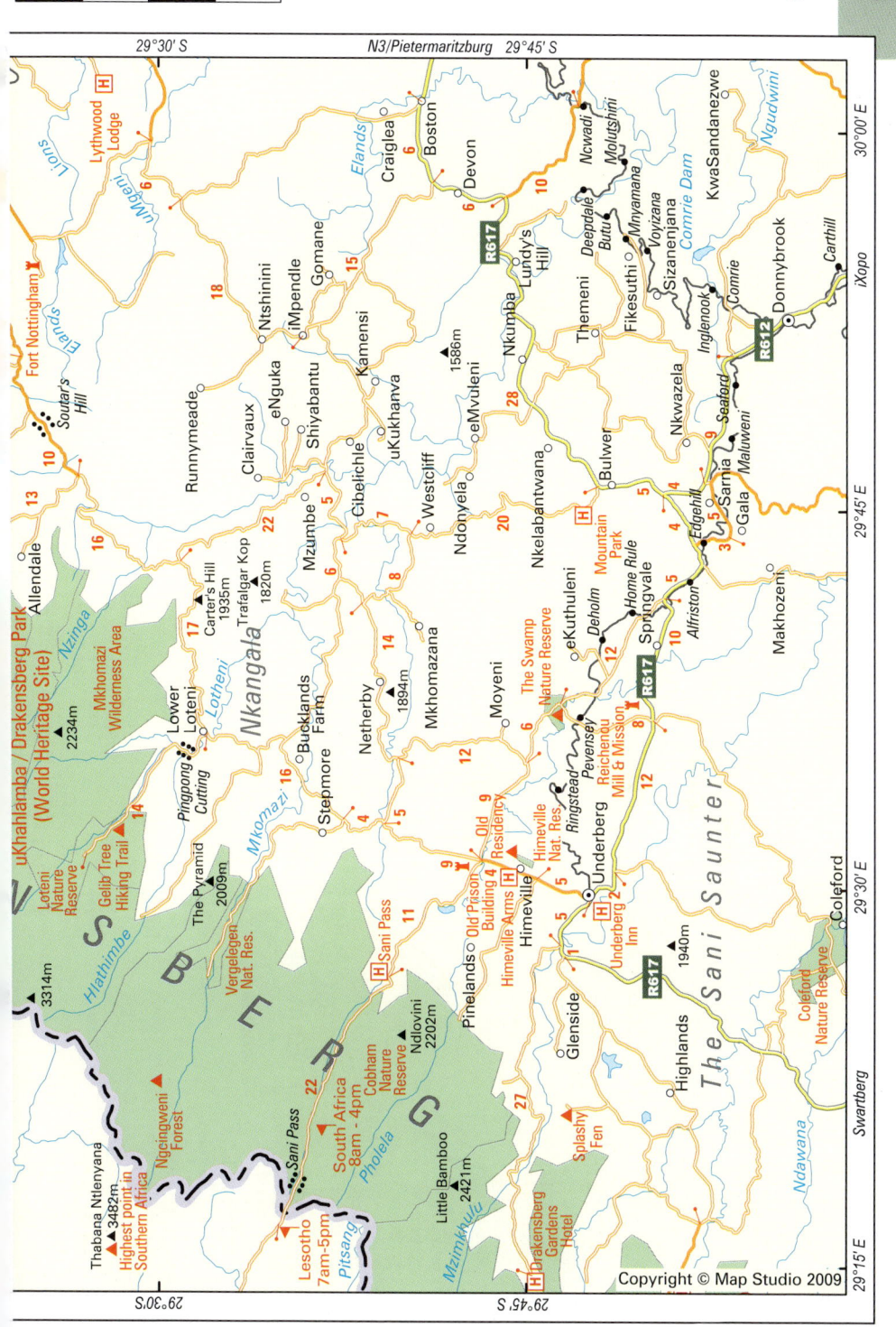

# 66 KwaZulu-Natal Coast

Scale 1 : 1 000 000

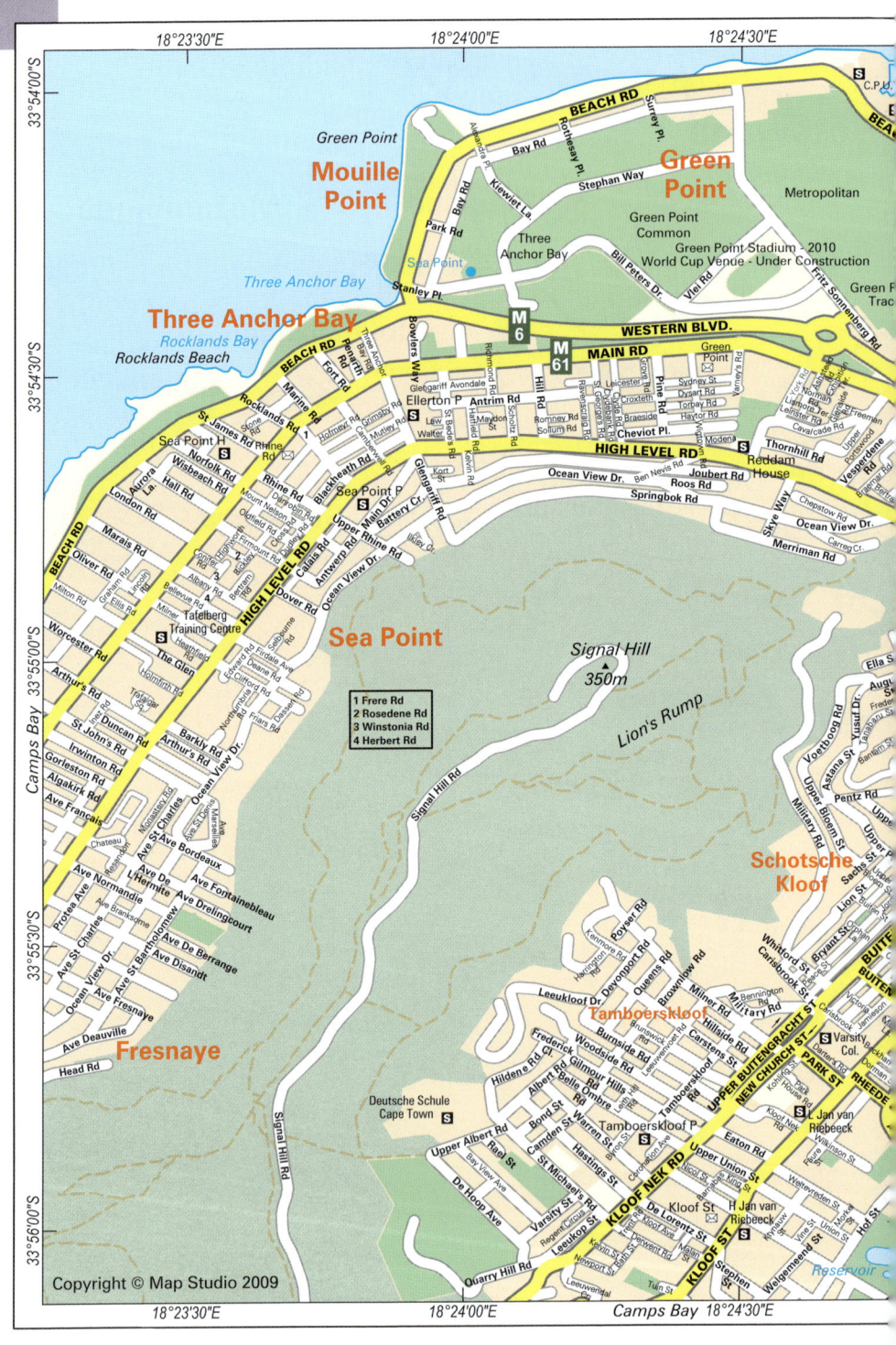

# 72 Port Elizabeth

Scale 1 : 22 500

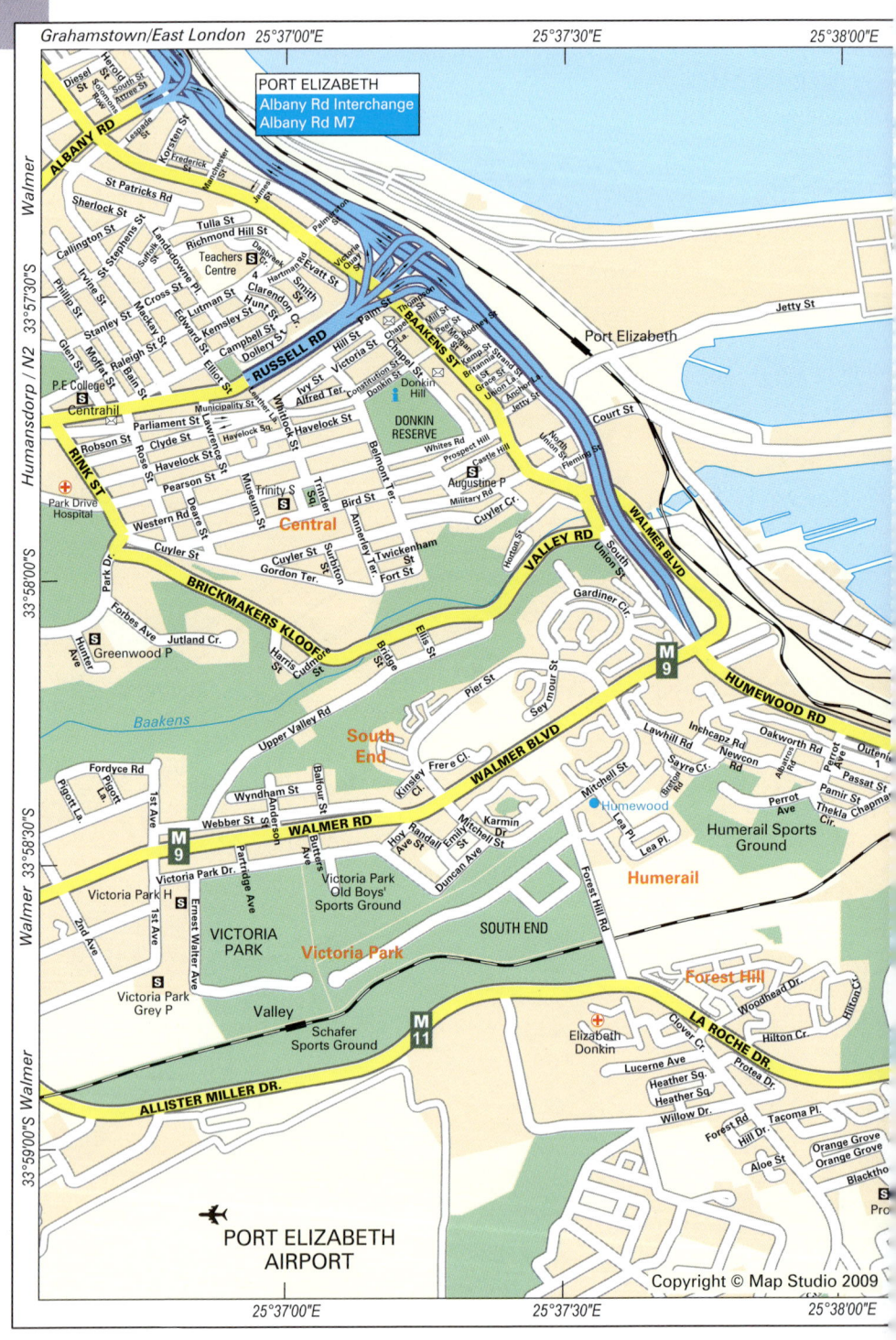

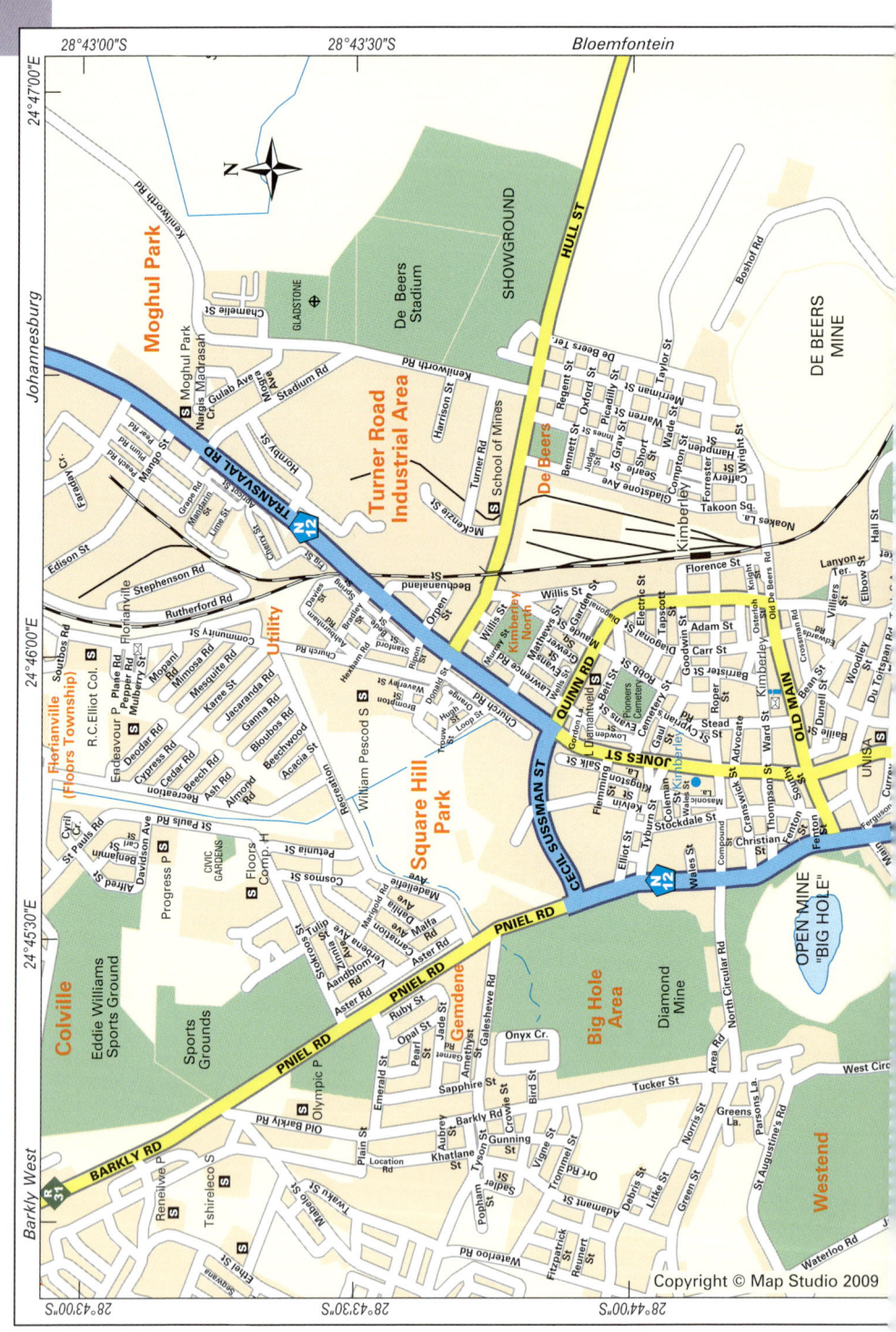

# Kimberley

# 78 Bloemfontein

Scale 1 : 22 500

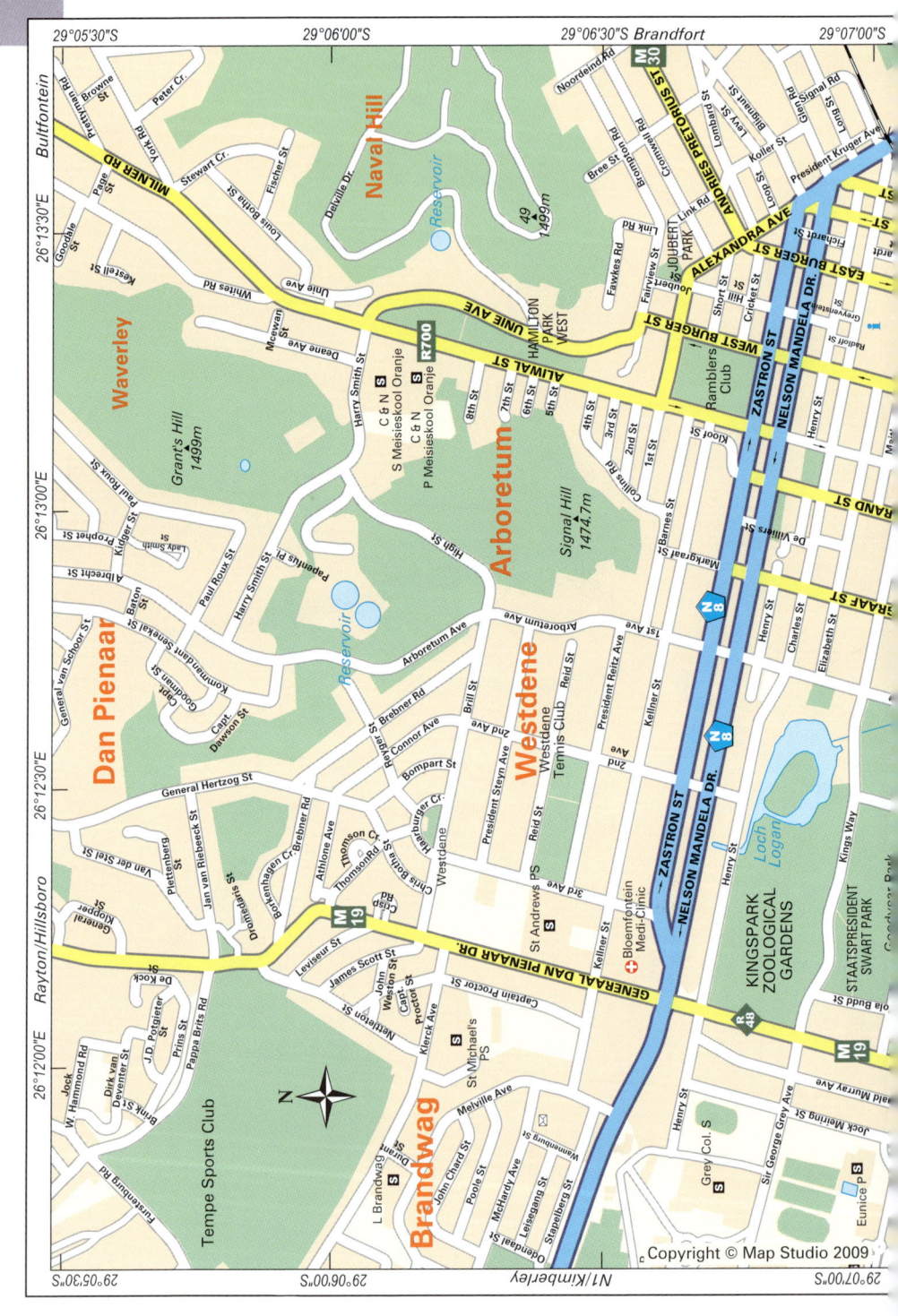

# 80 Johannesburg - Central   Scale 1 : 22 500

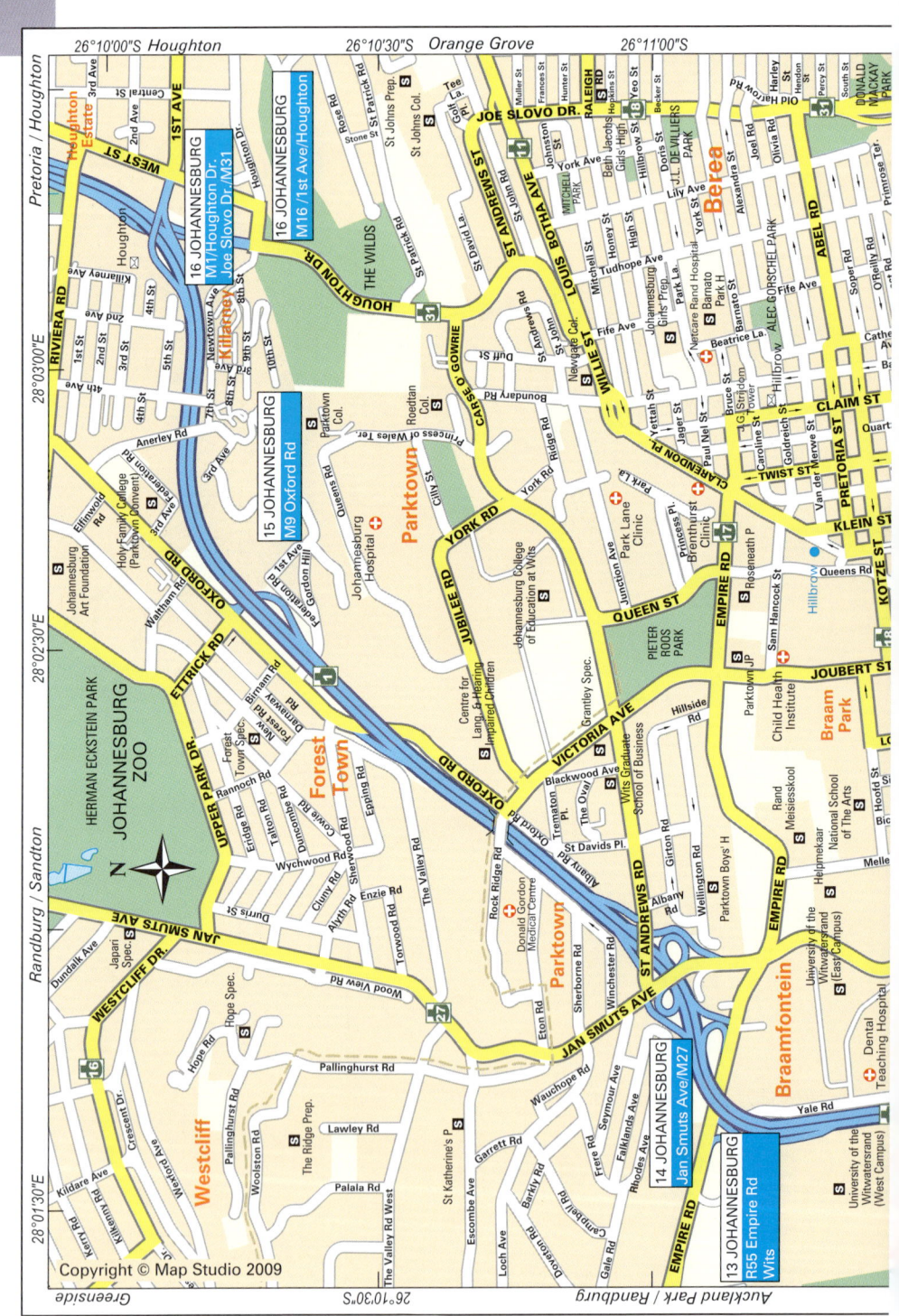

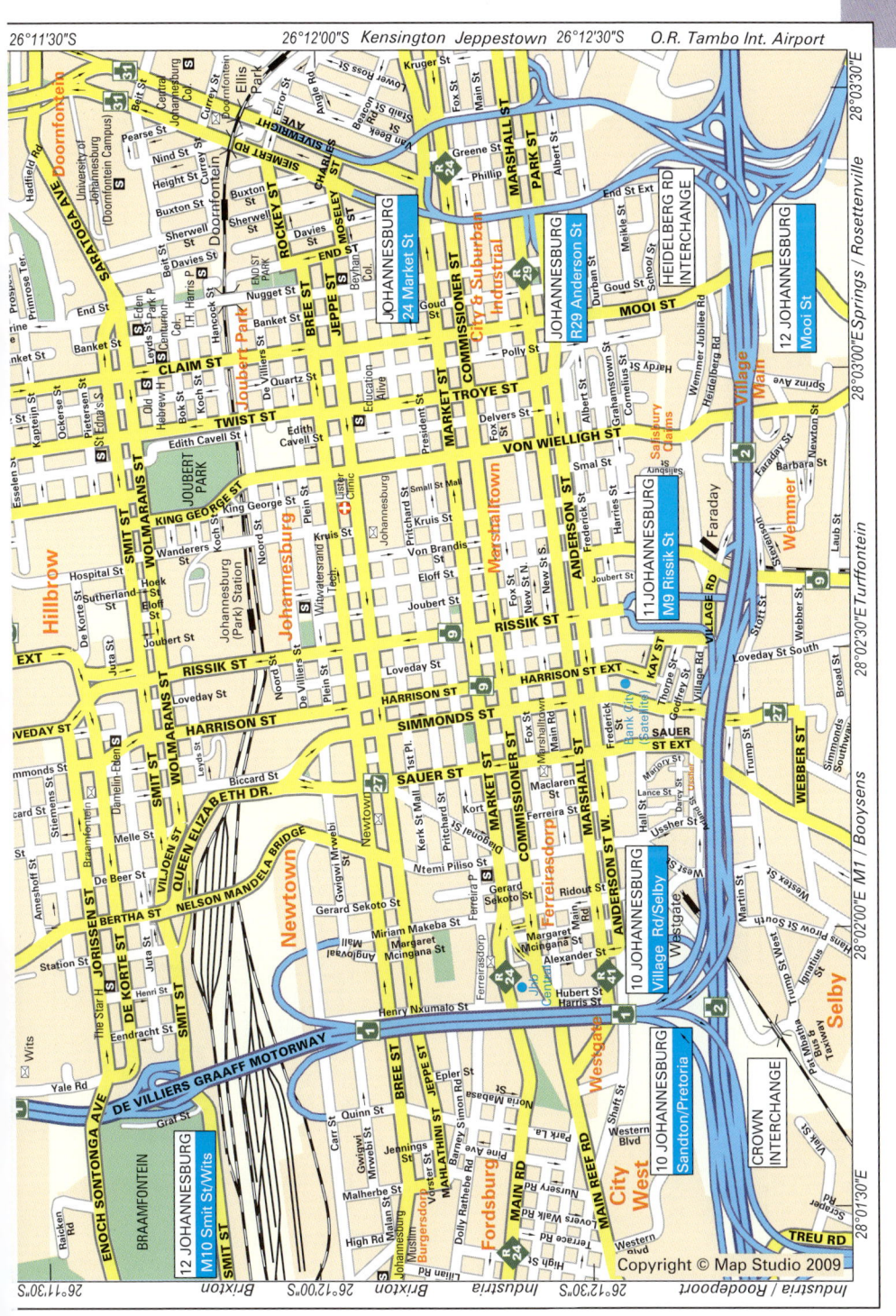

# 82 Pretoria

Scale 1 : 22 500

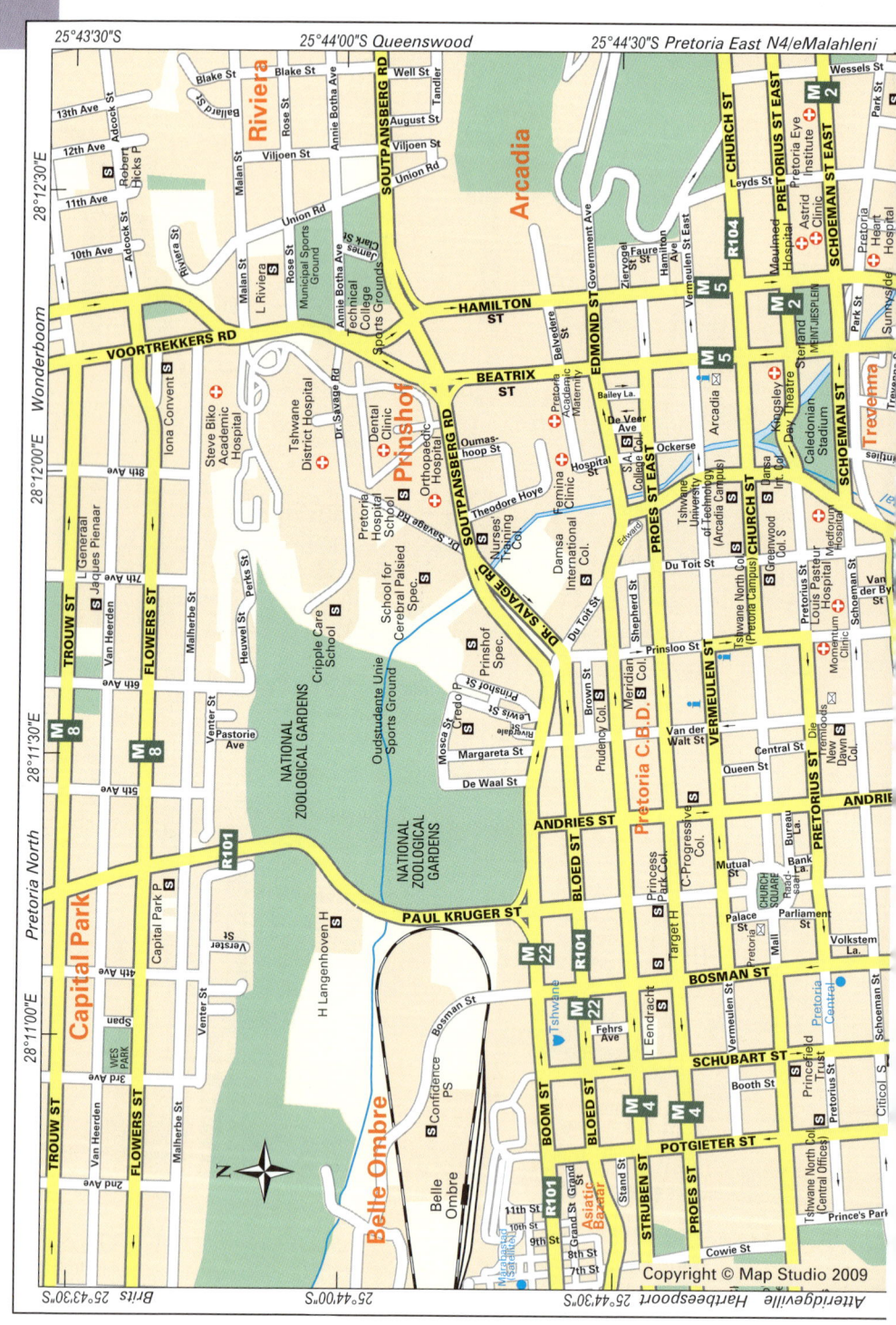

# 84 Polokwane

Scale 1 : 22 500

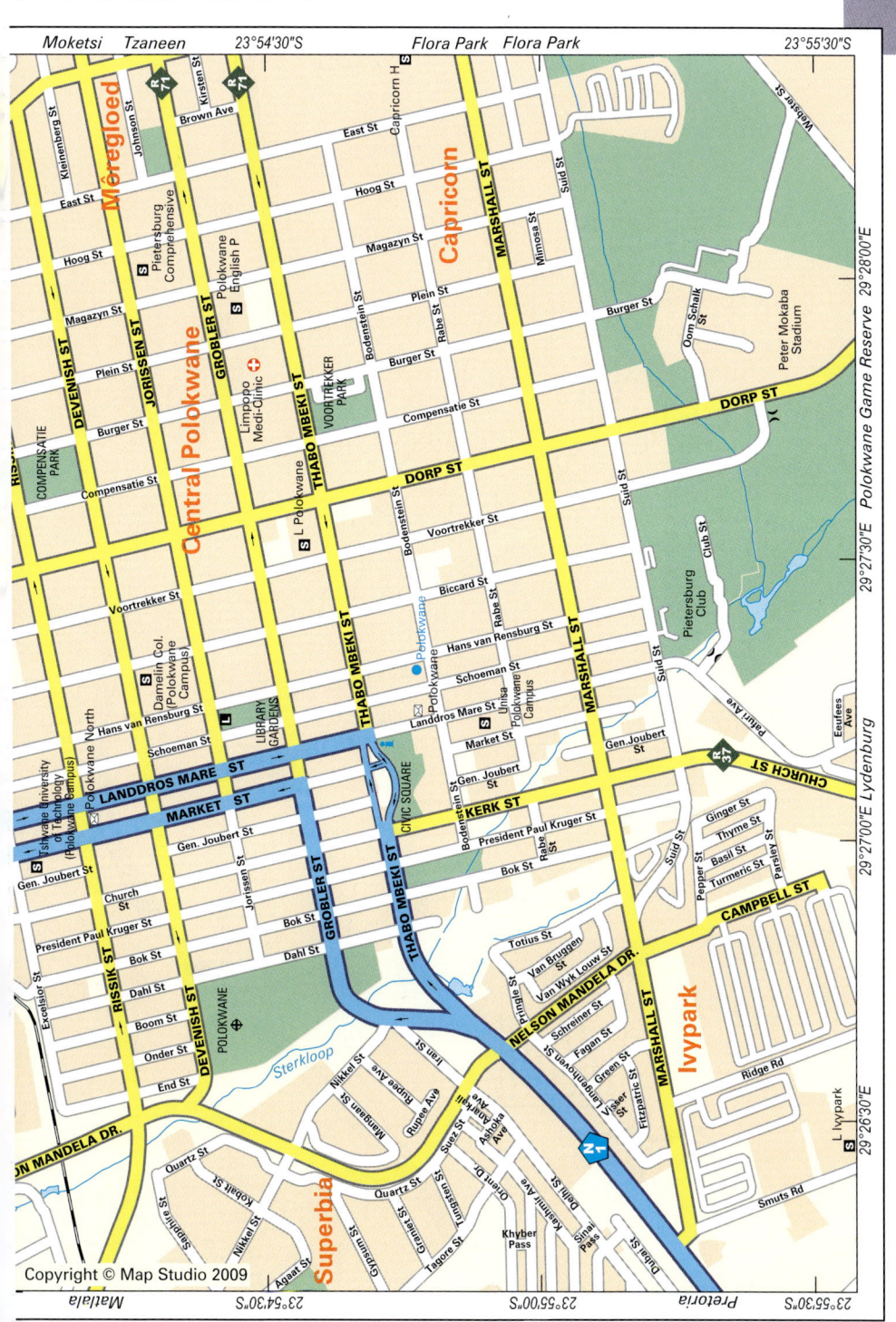

# Nelspruit

Scale 1 : 22 500

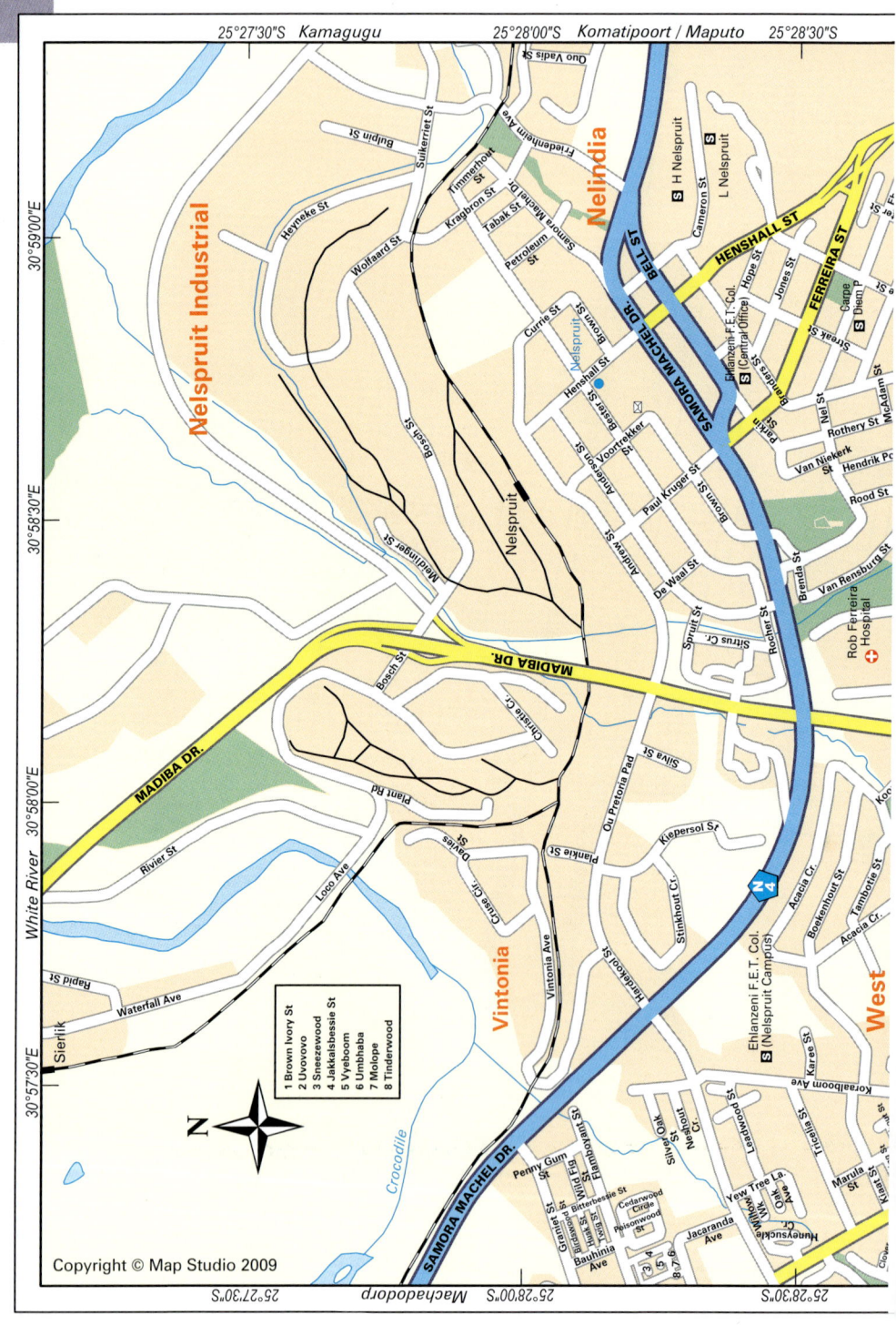

# Nelspruit

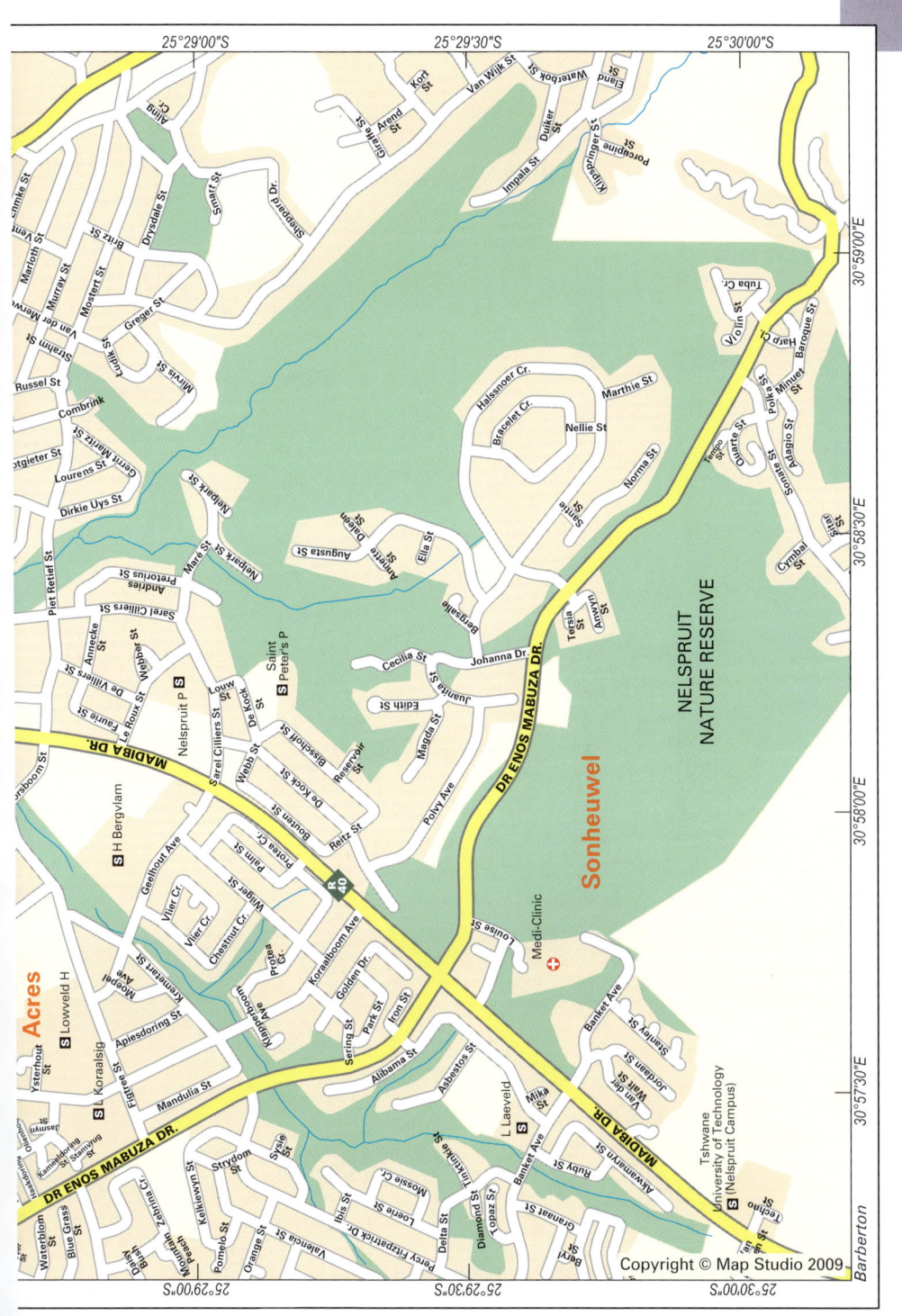

# 88 Durban

Scale 1 : 22 500

# 90 Pietermaritzburg

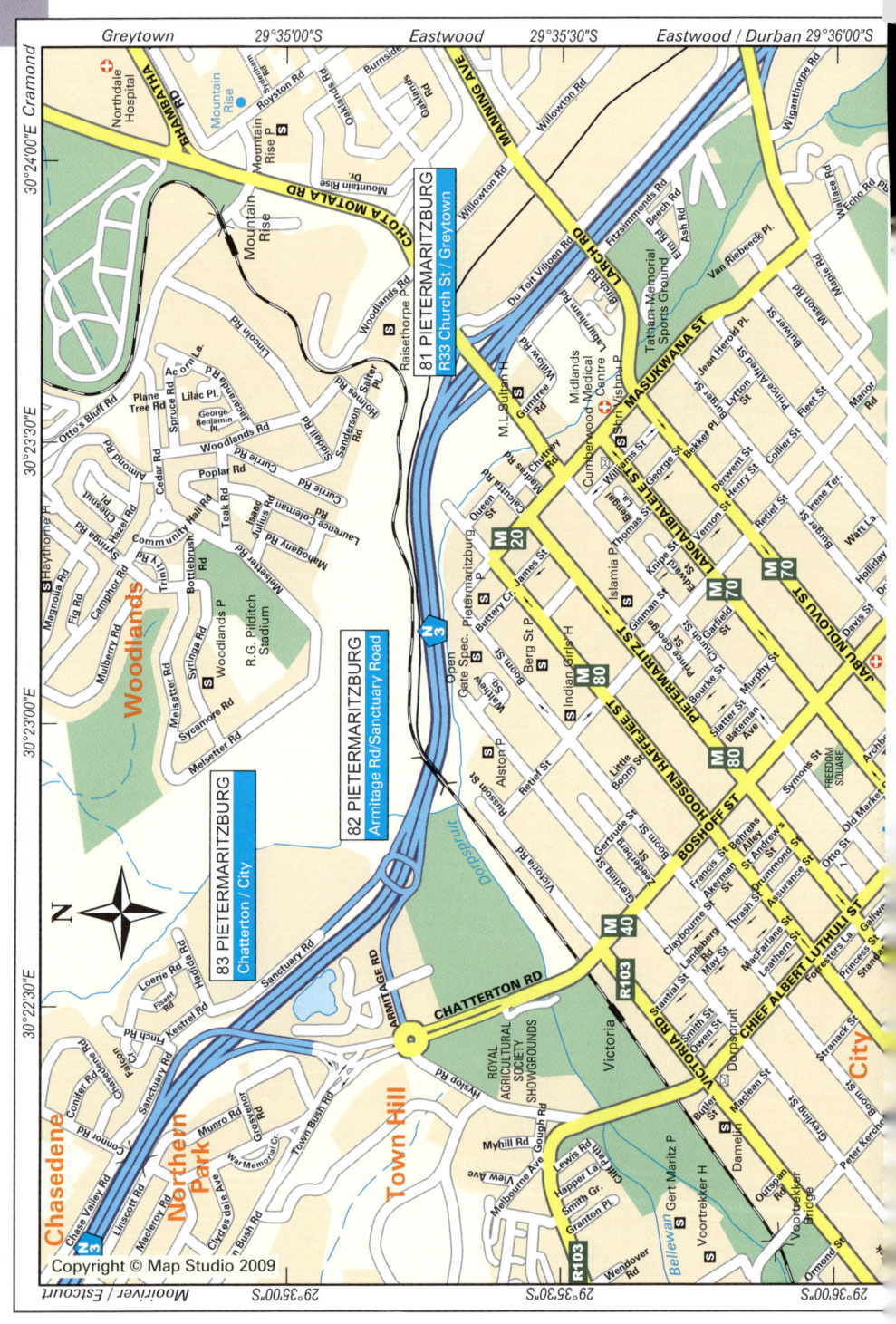

# Index to Place Names

**Abbreviations:** E.C. - Eastern Cape  Lim. - Limpopo  N.W. - North West  Gau. - Gauteng
KZN - KwaZulu-Natal  W.C. - Western Cape  N.C. - Northern Cape  Mpum. - Mpumalanga
F.S. - Free State  Zim. - Zimbabwe  Moz. - Mozambique  Swa. - Swaziland
Les. - Lesotho  Bot. - Botswana  Nam. - Namibia

| NAME | PG | GRID | NAME | PG | GRID | NAME | PG | GRID | NAME | PG | GRID |
|---|---|---|---|---|---|---|---|---|---|---|---|
| AALWYNSFONTEIN | 21 | CT 56 | AURORA | 12 | CY 55 | BERGRIVIER | 12 | CY 55 | BOKSBURG | 45 | CK 79 |
| AANDSTER | 35 | CN 72 | AUSTIN'S POST | 25 | CR 73 | BERGVILLE | 37 | CP 82 | BOKSPITS | 32 | CL 61 |
| AANSLUIT | 33 | CL 65 | AVOCA | 46 | CJ 86 | BERLIN | 18 | CY 78 | BOKSPUTS | 23 | CQ 64 |
| ABBOTSDALE | 6 | DA 56 | AVONDRUST | 7 | DA 60 | BERMOLLI | 33 | CP 66 | BOLIVIA | 37 | CO 80 |
| ABERDEEN | 15 | CX 69 | | | | BERSEBA | 35 | CM 72 | BON ACCORD | 45 | CH 79 |
| ABERDEEN ROAD | 16 | CY 70 | BAARDSKEERDERSBOS | 7 | DC 58 | BESEMPAN | 35 | CO 74 | BONNIEVALE | 7 | DB 59 |
| ABERFELDY | 37 | CO 80 | BABANANGO | 38 | CP 86 | BESTERS | 38 | CP 83 | BONNY RIDGE | 28 | CT 82 |
| ACORNHOEK | 46 | CF 86 | BABANGU | 50 | CD 85 | BETHAL | 45 | CK 82 | BONTRAND | 28 | CT 83 |
| ADAMS MISSION | 28 | CS 85 | BABELEGI | 45 | CH 79 | BETHANIE (N.W.) | 44 | CH 77 | BONZA BAY | 18 | CZ 79 |
| ADDO | 10 | DA 73 | BABERSPAN | 35 | CL 73 | BETHANIE (NAM.) | 30 | CL 52 | BOONS | 44 | CJ 77 |
| ADELAIDE | 17 | CY 75 | BADPLAAS | 46 | CJ 85 | BETHELSDORP | 10 | DA 72 | BOORD | 46 | CJ 83 |
| ADENDORP | 16 | CX 71 | BADSHOOGTE | 8 | DA 63 | BETHESDAWEG | 16 | CW 71 | BORCHERS | 50 | CC 84 |
| ADVANCE | 14 | CV 63 | BAILDEN | 28 | CT 82 | BETHLEHEM | 37 | CO 79 | BOSHOEK | 44 | CH 77 |
| AFGUNS | 48 | CE 78 | BAILEY | 17 | CW 75 | BETHULIE | 26 | CT 74 | BOSHOF | 35 | CP 72 |
| AFSAAL | 47 | CH 87 | BAINE'S DRIFT (BOT.) | 49 | CB 80 | BETTIESDAM | 37 | CL 82 | BOSKUIL | 35 | CM 74 |
| AGGENEYS | 21 | CQ 56 | BAKENKLIP | 14 | CV 62 | BETTY'S BAY | 6 | DC 57 | BOSOORD | 46 | CH 84 |
| AGTER SNEEUBERG | 16 | CX 72 | BAKENSKOP | 24 | CQ 69 | BEWLEY | 43 | CJ 73 | BOSPOORT | 35 | CL 74 |
| AGTERTANG | 25 | CU 72 | BAKERVILLE | 43 | CJ 74 | BEYERSBURG | 23 | CU 65 | BOTHAVILLE | 36 | CM 76 |
| AHRENS | 28 | CQ 85 | BALFOUR (MPUM.) | 37 | CL 80 | BHOLO | 18 | CX 78 | BOTHITHONG | 34 | CM 68 |
| AI-AIS (NAM.) | 30 | CO 53 | BALFOUR (E.C.) | 17 | CY 75 | BHOLOTHWA | 17 | CW 76 | BOTLOKWA | 50 | CD 83 |
| AKANOUS (NAM.) | 40 | CF 59 | BALGOWAN | 28 | CR 83 | BHUNYA (SWA.) | 38 | CL 86 | BOTRIVIER | 6 | DB 57 |
| ALBERT FALLS | 28 | CR 85 | BALLENGEICH | 38 | CN 84 | BIDDULPH | 36 | CO 78 | BOTSHABELO | 26 | CQ 75 |
| ALBERTINIA | 8 | DB 63 | BALLITO | 29 | CR 86 | BIERSPRUIT | 44 | CG 76 | BO-WADRIF | 13 | CX 60 |
| ALBERTON | 45 | CK 79 | BALTIMORE | 49 | CC 80 | BIESIESPOORT | 15 | CW 67 | BOWKER'S PARK | 17 | CW 75 |
| ALDAM | 36 | CO 77 | BAMBOESKLOOF | 26 | CU 77 | BIESIESVLEI | 43 | CK 73 | BOYNE | 50 | CE 83 |
| ALDERLEY | 18 | CX 81 | BAMBOESSPRUIT | 35 | CL 73 | BIG BEND (SWA.) | 39 | CL 88 | BRAAMSPRUIT | 26 | CU 76 |
| ALDINVILLE | 29 | CR 86 | BANDELIERKOP | 50 | CD 83 | BIGGARSBERG | 38 | CO 83 | BRAEMAR | 28 | CT 85 |
| ALETTESRUS | 34 | CL 70 | BANDUR | 49 | CB 82 | BILDEMAR | 26 | CT 75 | BRAKBOS | 23 | CR 64 |
| ALEXANDER BAY | 30 | CP 51 | BANK | 44 | CK 77 | BISI | 28 | CT 83 | BRAKFONTEIN (F.S.) | 25 | CR 72 |
| ALEXANDRIA | 11 | DA 75 | BANKKOP | 38 | CL 84 | BITTERFONTEIN | 21 | CU 55 | BRAKFONTEIN (KZN) | 39 | CN 87 |
| ALHEIT | 32 | CP 60 | BANNER REST | 28 | CU 84 | BITYI | 18 | CW 80 | BRAKFONTEIN (N.C.) | 25 | CS 70 |
| ALICE | 17 | CY 76 | BAPSFONTEIN | 45 | CJ 79 | BIVANE | 38 | CN 85 | BRAKKLOOF | 17 | CY 74 |
| ALICEDALE | 17 | CZ 74 | BARAKKE | 16 | CX 71 | BIZANA | 28 | CU 83 | BRAKPAN | 45 | CK 80 |
| ALIWAL NORTH | 26 | CU 76 | BARANDAS | 9 | DA 67 | BLACK ROCK | 33 | CM 66 | BRAKPOORT | 15 | CV 67 |
| ALLANRIDGE | 36 | CN 75 | BARBERTON | 46 | CJ 86 | BLADGROND | 22 | CQ 59 | BRAKSPRUIT | 36 | CL 75 |
| ALLDAYS | 49 | CB 81 | BARKLY EAST | 27 | CU 78 | BLAIRBETH | 43 | CH 74 | BRAND | 24 | CT 69 |
| ALLEMAN | 36 | CP 75 | BARKLY PASS | 18 | CV 78 | BLANCO | 8 | DB 65 | BRANDDRAAI | 46 | CF 85 |
| ALLEP | 25 | CR 72 | BARKLY WEST | 34 | CP 70 | BLESKOP | 44 | CJ 77 | BRANDFORT | 36 | CP 75 |
| ALMA | 45 | CF 79 | BARNARD | 15 | CV 67 | BLESMANSPOS | 34 | CN 70 | BRANDKOP | 12 | CV 57 |
| ALPHA | 38 | CN 86 | BARNEA | 37 | CO 79 | BLETTERMAN | 24 | CU 69 | BRANDLAAGTE | 37 | CP 79 |
| AMABELE | 17 | CY 77 | BARODA | 16 | CW 73 | BLIKFONTEIN | 34 | CN 68 | BRANDRIVIER | 8 | DA 62 |
| AMAKHASI | 38 | CP 84 | BAROE | 16 | CZ 70 | BLINKKLIP | 34 | CN 68 | BRANDVLEI | 22 | CT 60 |
| AMALIA | 35 | CM 71 | BARRINGTON | 9 | DA 66 | BLINKWATER (E.C.) | 17 | CY 75 | BRANDWAG | 26 | CQ 75 |
| AMANZIMTOTI | 29 | CS 86 | BARRYDALE | 7 | DA 61 | BLINKWATER (LIM.) | 49 | CC 81 | BRAUNSCHWEIG (E.C.) | 17 | CY 77 |
| AMATIKULU | 29 | CQ 87 | BARTLESFONTEIN | 8 | DB 64 | BLOEMFONTEIN | 26 | CQ 75 | BRAUNSCHWEIG | | |
| AMERSFOORT | 38 | CM 83 | BATHURST | 11 | DA 76 | BLOEMHOEK | 21 | CR 57 | (MPUM.) | 38 | CM 85 |
| AMSTERDAM | 38 | CL 85 | BAVIAAN | 13 | CZ 61 | BLOEMHOF | 35 | CM 73 | BRAUNVILLE | 17 | CW 77 |
| ANCONA | 36 | CN 75 | BAYALA | 39 | CN 89 | BLOOD RIVER | 38 | CN 85 | BRAY | 42 | CH 68 |
| ANDRIESKRAAL | 10 | DA 70 | BAYENI | 39 | CO 87 | BLOOD RIVER | 38 | CO 85 | BREAKFAST VLEI | 17 | CZ 76 |
| ANDRIESVALE | 32 | CL 61 | BAZLEY | 28 | CT 85 | BLOSSOMS | 8 | DA 65 | BREDASDORP | 7 | DC 60 |
| ANYSBERG | 7 | DA 61 | BEACON BAY | 18 | CY 79 | BLOUBANK | 38 | CO 86 | BREIDBACH | 17 | CY 77 |
| ANYSSPRUIT | 38 | CM 85 | BEAUFORT WEST | 15 | CX 66 | BLOUBERG | 49 | CC 81 | BREIPAAL | 26 | CS 74 |
| ARGENT | 45 | CK 81 | BEAUTY | 48 | CC 78 | BLOUBERGSTRAND | 6 | DA 55 | BREYTEN | 46 | CK 84 |
| ARIAMSVLEI (NAM.) | 32 | CO 59 | BEDFORD | 17 | CY 74 | BLOUHAAK | 49 | CD 82 | BRIDGEWATER | 49 | CB 81 |
| ARIESFONTEIN | 34 | CO 68 | BEERLEY | 26 | CU 76 | BLOUSYFER | 13 | CV 61 | BRITS | 44 | CJ 78 |
| ARLINGTON | 36 | CO 78 | BEESHOEK | 33 | CO 66 | BLUECLIFF | 10 | DA 72 | BRITSTOWN | 24 | CT 68 |
| ARNISTON | | | BEESTEKRAAL | 44 | CH 78 | BLUEGUMS | 26 | CT 77 | BRITTEN | 35 | CN 72 |
| (WAENHUISKRANS) | 7 | DC 60 | BEHULPSAAM | 16 | CX 71 | BLUEWATER BAY | 10 | DA 73 | BROEDERSPUT | 35 | CL 72 |
| AROAB (NAM.) | 31 | CL 58 | BEITBRIDGE (ZIM.) | 50 | CA 83 | BLYDSKAP | 27 | CN 80 | BROKEN DAM | 24 | CT 67 |
| ARUNDEL | 25 | CU 71 | BELA VISTA (MOZ.) | 47 | CK 90 | BOANE (MOZ.) | 47 | CK 89 | BROMBEEK | 49 | CB 82 |
| ASBOSPAN (NAM.) | 30 | CL 51 | BELA-BELA | | | BOBONONG (BOT.) | 49 | CA 79 | BRONDAL | 46 | CH 86 |
| ASHBURTON | 28 | CR 84 | (WARMBATHS) | 45 | CG 79 | BODAM | 22 | CU 60 | BRONKHORSTSPRUIT | 45 | CJ 81 |
| ASHTON | 7 | DA 60 | BELFAST | 46 | CJ 83 | BODENSTEIN | 44 | CK 75 | BROOKS NEK | 28 | CT 82 |
| ASKEATON | 17 | CW 77 | BELGRAVIA | 13 | CW 61 | BOEGOEBERG | 23 | CQ 65 | BRUGHALTE | 28 | CT 75 |
| ASKHAM | 32 | CM 61 | BELL | 17 | CZ 77 | BOERBOONFONTEIN | 7 | DA 60 | BRUINTJIESHOOGTE | 16 | CY 72 |
| ASKRAAL | 7 | DB 61 | BELLEVUE (E.C.) | 16 | CZ 73 | BOESMANSKOP | 26 | CS 77 | BUCHHOLZBRUNN | | |
| ASSEGAAIBOS | 10 | DB 70 | BELLEVUE (LIM.) | 49 | CC 82 | BOESMANSRIVIER- | | | (NAM.) | 30 | CL 52 |
| ASSEN | 44 | CH 78 | BELLVILLE | 6 | DA 56 | MOND | 11 | DA 76 | BUCKLANDS | 24 | CQ 68 |
| ASTON BAY | 10 | DB 71 | BELMONT | 25 | CR 70 | BOETSAP | 34 | CO 70 | BUFFELSDRIF | 9 | DA 66 |
| ATLANTA | 44 | CH 78 | BENONI | 45 | CK 80 | BOHLOKONG | 37 | CO 79 | BUFFELSKLIP | 9 | DA 66 |
| ATLANTIS | 6 | DA 55 | BERBICE | 38 | CM 85 | BOKHARA | 32 | CO 60 | BUITENZORG | 38 | CM 84 |
| ATTERIDGEVILLE | 45 | CJ 79 | BEREAVILLE | 7 | DB 58 | BOKKOPPIE | 34 | CO 67 | BULEMBU (SWA.) | 46 | CJ 86 |
| AUGRABIES | 32 | CP 62 | BERGPLAAS | 9 | DA 66 | BOKNES | 11 | DA 75 | BULLETRAP | 21 | CR 54 |

# 93

| NAME | PG | GRID | NAME | PG | GRID | NAME | PG | GRID | NAME | PG | GRID |
|---|---|---|---|---|---|---|---|---|---|---|---|
| BULTFONTEIN | 35 | CO 74 | CLEWER | 45 | CJ 81 | DEKRIET | 8 | DB 63 | EASTPOORT | 16 | CY 73 |
| BULWER | 28 | CS 83 | CLIFFORD | 26 | CU 77 | DELAREYVILLE | 35 | CL 72 | EBENDE | 18 | CX 59 |
| BUNTINGVILLE | 18 | CW 81 | CLOCOLAN | 27 | CQ 78 | DELMAS | 45 | CK 80 | EDENBURG | 25 | CR 73 |
| BURGERSDORP | 26 | CU 75 | COALVILLE | 45 | CJ 82 | DELPORTSHOOP | 34 | CP 70 | EDENDALE (E.C.) | 27 | CT 81 |
| BURGERSFORT | 46 | CG 84 | COCOPAN | 14 | CV 62 | DEMISTKRAAL | 10 | DA 70 | EDENDALE (KZN) | 28 | CR 84 |
| BURGERVILLE | 25 | CU 70 | COEGA | 10 | DA 73 | DENEYSVILLE | 37 | CL 79 | EDENVALE | 45 | CK 79 |
| BUSHBUCKRIDGE | 46 | CG 86 | COENBULT (NAM.) | 30 | CL 54 | DENNILTON | 45 | CH 82 | EDENVILLE | 36 | CN 78 |
| BUSHLANDS | 39 | CO 89 | COERNEY | 16 | CZ 73 | DERBY | 44 | CJ 76 | EDUARDO MONDLANE | | |
| BUTHA-BUTHE (LES.) | 37 | CP 79 | COETZERSDAM | 34 | CL 69 | DERDEPOORT | 44 | CF 75 | (MOZ.) | 51 | CA 88 |
| BUTTERWORTH | 18 | CX 79 | COFFEE BAY | 18 | CW 81 | DEREHAM | 26 | CS 76 | EENDEKUIL | 12 | CY 56 |
| BUTU | 28 | CS 83 | COFIMVABA | 18 | CW 78 | DESPATCH | 10 | DA 72 | EENSGEVONDEN | 36 | CP 75 |
| BUYSDORP | 49 | CC 82 | COGHLAN | 18 | CW 79 | DESSING | 44 | CJ 76 | EIGHT BELLS | 8 | DB 64 |
| BYLSTEEL | 49 | CD 82 | COLCHESTER | 10 | DA 73 | DEVON | 45 | CK 81 | EKANGALA | 45 | CJ 81 |
| | | | COLEFORD | 28 | CS 82 | DEVONDALE | 35 | CL 71 | EKSTEENFONTEIN | 30 | CP 53 |
| CALA | 18 | CV 78 | COLENSO | 38 | CP 83 | DEVONLEA | 35 | CL 71 | EKUVUKENI | 38 | CP 84 |
| CALA ROAD | 18 | CV 78 | COLESBERG | 25 | CU 71 | DEWETSDORP | 26 | CR 75 | ELANDS HEIGHT | 27 | CU 79 |
| CALEDON | 7 | DB 58 | COLESKEPLAAS | 9 | DA 69 | DIAMANT | 25 | CS 71 | ELANDSBAAI | 12 | CX 55 |
| CALITZDORP | 8 | DA 63 | COLIGNY | 44 | CK 75 | DIBENG | 33 | CN 66 | ELANDSDRIFT | 34 | CO 70 |
| CALVERT | 38 | CO 86 | COLSTON | 32 | CP 61 | DIBETE (BOT.) | 48 | CE 75 | ELANDSKLOOF | 16 | CX 71 |
| CALVINIA | 13 | CV 59 | COLWORTH | 37 | CP 82 | DIE BOS | 13 | CW 59 | ELANDSKRAAL | 38 | CP 85 |
| CAMBRIA | 10 | DA 70 | COMBOMUNE (MOZ.) | 51 | CD 89 | DIE DAM | 7 | DC 58 | ELANDSLAAGTE | 38 | CP 84 |
| CAMDEN | 38 | CL 83 | COMMITTEES | 17 | CZ 76 | DIE HEL | 14 | CZ 63 | ELGIN | 6 | DB 57 |
| CAMELFORD | 35 | CO 71 | COMMONDALE | 38 | CM 86 | DIE PUT | 24 | CU 69 | ELIM (LIM.) | 50 | CC 84 |
| CAMERON'S GLEN | 17 | CX 74 | CONCORDIA | 21 | CR 54 | DIE VLUG | 9 | DA 67 | ELIM (W.C.) | 7 | DC 59 |
| CAMPBELL | 34 | CP 68 | CONTENT | 35 | CO 71 | DIEMANSPUTS | 23 | CS 63 | ELLIOT | 18 | CV 78 |
| CAMPERDOWN | 28 | CR 85 | CONWAY | 16 | CW 72 | DIKABEYA (BOT.) | 48 | CB 77 | ELLIOTDALE | 18 | CW 80 |
| CANDOVER | 39 | CN 88 | COOKHOUSE | 16 | CY 73 | DIKLIPSPOORT | 23 | CR 65 | ELMESTON | 48 | CE 77 |
| CAPE ST FRANCIS | 10 | DB 71 | COPPERTON | 23 | CS 65 | DINOKWE (BOT.) | 48 | CD 76 | ELOFF | 45 | CK 80 |
| CAPE TOWN | 6 | DB 55 | CORN EXCHANGE | | | DIPHUTI | 46 | CF 85 | EMAKWEZINI | 39 | CP 88 |
| CARLCHEW | 46 | CK 83 | (LES.) | 27 | CQ 79 | DIRKIESDORP | 38 | CM 84 | EMALAHLENI | | |
| CARLETONVILLE | 44 | CK 77 | CORNELIA | 37 | CM 81 | DITSHIPENG | 34 | CL 68 | (WITBANK) | 45 | CJ 82 |
| CARLISLE BRIDGE | 17 | CZ 75 | COTTONDALE | 46 | CF 86 | DLOLWANA | 38 | CP 86 | EMANGUSI | 39 | CM 90 |
| CARLOW | 49 | CC 81 | CRADOCK | 16 | CX 73 | DOHNE | 17 | CX 77 | EMPANGENI | 39 | CP 88 |
| CARLSONIA | 43 | CJ 74 | CRAFTHOLE | 42 | CK 69 | DOMINIONVILLE | 36 | CL 75 | ENTUMENI | 29 | CQ 87 |
| CARLTON | 16 | CV 71 | CRAIGSFORTH | 38 | CO 83 | DONDOTSHA | 39 | CP 88 | ERMELO | 38 | CL 84 |
| CARNARVON | 23 | CU 65 | CRAMOND | 32 | CM 62 | DONKERPOORT | 25 | CT 72 | ESHOWE | 29 | CQ 87 |
| CARNARVON | | | CRECY | 45 | CF 81 | DONNYBROOK | 28 | CS 83 | ESPAGSDRIF | 34 | CO 70 |
| EXPERIMENTAL FARM | 23 | CU 64 | CREIGHTON | 28 | CS 83 | DOORNBULT | 35 | CL 71 | ESPERANÇA (MOZ.) | 47 | CH 90 |
| CAROLINA | 46 | CK 84 | CROCODILE BRIDGE | 47 | CH 88 | DORDRECHT | 17 | CV 76 | ESPERANZA | 28 | CT 85 |
| CAROLUS | 25 | CU 71 | CROYDON (SWA.) | 47 | CK 87 | DORINGBAAI | 12 | CW 55 | ESTCOURT | 28 | CQ 83 |
| CARTHILL | 28 | CS 83 | CULLINAN | 45 | CJ 80 | DORINGBERG | 38 | CO 85 | ESTIVANE (MOZ.) | 51 | CE 90 |
| CATEMBE (MOZ.) | 47 | CJ 89 | CUNDYCLEUGH | 38 | CO 83 | DORINGBOS | 12 | CW 57 | ETHOLENI | 38 | CP 84 |
| CATHCART | 17 | CX 76 | CURIA (MOZ.) | 51 | CA 88 | DORINGBULT | 35 | CL 74 | EVANDER | 45 | CK 81 |
| CATHEDRAL PEAK | 27 | CQ 81 | CURRIE'S CAMP (LES.) | 32 | CP 62 | DOUGLAS | 24 | CQ 68 | EVANGELINA | 49 | CB 82 |
| CATUANE (MOZ.) | 39 | CL 89 | CUTTING CAMP | 27 | CT 78 | DOVER | 36 | CM 78 | EWBANK | 42 | CK 68 |
| CEDARVILLE | 27 | CT 81 | | | | DOVESDALE | 44 | CK 76 | EXCELSIOR | 26 | CQ 77 |
| CEDERBERG | 13 | CX 58 | DABENORIS | 21 | CQ 56 | DOWNES | 13 | CV 59 | | | |
| CENTANI | 18 | CY 80 | DAERAAD | 45 | CF 79 | DRAAIOM | 49 | CC 80 | FAANS GROVE | 33 | CM 65 |
| CENTURION | 45 | CJ 79 | DAGAB | 22 | CS 60 | DRAGHOENDER | 23 | CR 65 | FAIRFIELD | 7 | DC 59 |
| CERES | 12 | CZ 57 | DAGBREEK | 33 | CP 63 | DRENNAN | 16 | CX 73 | FALLODON | 17 | CZ 77 |
| CHALUMNA | 17 | CZ 77 | DAGGABOERSNEK | 16 | CY 73 | DRIEBAD | 25 | CS 73 | FAURE | 6 | DB 56 |
| CHAMIEITES (NAM.) | 30 | CM 54 | DALESIDE | 45 | CK 79 | DRIEFONTEIN (KZN) | 28 | CP 83 | FAURESMITH | 25 | CR 72 |
| CHANGALANE (MOZ.) | 47 | CK 89 | DALMANUTHA | 46 | CJ 84 | DRIEFONTEIN (MPUM.) | 38 | CM 84 | FAWNLEAS | 28 | CR 85 |
| CHARL CILLIERS | 37 | CL 82 | DALTON | 28 | CR 85 | DRIVER'S DRIFT | 17 | CW 77 | FELDSCHUHHORN | | |
| CHARLESTOWN | 38 | CN 83 | DANABAAI | 8 | DB 64 | DROËFONTEIN (NAM.) | 40 | CK 79 | (NAM.) | 30 | CL 53 |
| CHARLESVILLE | 25 | CS 72 | DANIËLSKUIL | 34 | CO 68 | DROËPUTS | 14 | CV 63 | FELIXTON | 29 | CQ 88 |
| CHARLWOOD | 16 | CX 70 | DANIELSRUS | 37 | CO 79 | DROËRIVIER | 14 | CX 65 | FERNWOOD | 39 | CO 89 |
| CHICABELA (MOZ.) | 47 | CJ 90 | DANNHAUSER | 38 | CO 84 | DROËRYSKLOOF | 12 | CY 56 | FERREIRA | 26 | CQ 74 |
| CHICUALACUALA | | | DARLING | 12 | CZ 55 | DROËSPRUIT | 33 | CN 66 | FICKSBURG | 27 | CQ 78 |
| (MOZ.) | 51 | CB 88 | DARNALL | 29 | CQ 87 | DROËVLAKTE | 8 | DB 63 | FIELDSVIEW | 35 | CP 71 |
| CHIEVELEY | 38 | CP 83 | DASKOP | 9 | DA 66 | DRUMMONDLEA | 45 | CF 81 | FIRGROVE | 6 | DB 56 |
| CHINHANGUANINE | | | DASVILLE | 37 | CL 80 | DUDUDU | 28 | CS 85 | FISH HOEK | 6 | DB 56 |
| (MOZ.) | 47 | CH 90 | DAVEL | 46 | CK 83 | DUKUMBANE | 39 | CO 88 | FLAGSTAFF | 28 | CU 82 |
| CHINTSA EAST | 18 | CY 79 | DAWN | 18 | CY 78 | DULINI | 38 | CS 83 | FLINT | 38 | CO 84 |
| CHINTSA WEST | 18 | CY 79 | DE AAR | 24 | CT 69 | DULLSTROOM | 46 | CH 84 | FLORISBAD | 35 | CP 73 |
| CHIPISE (ZIM.) | 50 | CA 86 | DE BEERS | 35 | CM 71 | DUNDEE | 38 | CO 84 | FOCHVILLE | 44 | CK 78 |
| CHRISSIESMEER | 46 | CK 84 | DE BRUG | 25 | CQ 73 | DUPLESTON | 26 | CT 74 | FORBES REEF (SWA.) | 46 | CK 86 |
| CHRISTIANA | 35 | CO 72 | DE DOORNS | 7 | DA 59 | DURBAN | 29 | CS 86 | FORT BEAUFORT | 17 | CY 75 |
| CHUNIESPOORT | 45 | CF 82 | DE GRACHT | 49 | CB 81 | DURBANVILLE | 6 | DA 56 | FORT BROWN | 17 | CZ 75 |
| CHURCHHAVEN | 12 | CZ 54 | DE HOEK | 12 | CY 56 | DUTYWA | 18 | CX 79 | FORT DONALD | 28 | CU 83 |
| CIKO | 18 | CX 80 | DE KLERK | 15 | CV 68 | DWAAL | 25 | CU 71 | FORT HARE | 17 | CY 76 |
| CITRIODORA | 46 | CH 85 | DE KUILEN | 37 | CM 81 | DWAALBOOM | 44 | CG 75 | FORT MISTAKE | 38 | CO 83 |
| CITRUSDAL | 12 | CY 57 | DE RUST | 8 | DA 65 | DWARSBERG | 44 | CG 76 | FORT MTOMBENI | 29 | CQ 86 |
| CLANSTHAL | 28 | CT 85 | DE WET | 7 | DA 58 | DWARSKERSBOS | 12 | CY 55 | FOURIESBURG | 37 | CQ 79 |
| CLANVILLE | 26 | CU 75 | DE WILDT | 44 | CJ 78 | DWARSVLEI | 16 | CW 71 | FRANKFORT | 37 | CM 80 |
| CLANWILLIAM | 12 | CX 57 | DEALESVILLE | 35 | CP 73 | DWYKA | 14 | CZ 63 | FRANKLIN | 28 | CT 82 |
| CLARENS | 37 | CP 80 | DEELFONTEIN | 24 | CU 68 | DYSSELSDORP | 8 | DA 65 | FRANS | 25 | CU 70 |
| CLARKEBURY | 18 | CW 79 | DEELPAN | 43 | CK 73 | DZUMERI | 50 | CD 85 | FRANSCHHOEK | 6 | DA 57 |
| CLARKSON | 10 | DB 70 | DEELSPRUIT | 36 | CP 76 | | | | FRANZENHOF | 23 | CR 65 |
| CLERMONT | 29 | CS 86 | DEHOLM | 28 | CS 83 | EAST LONDON | 18 | CZ 79 | FRASERBURG | 14 | CW 63 |

# Index to Place Names

| NAME | PG | GRID | NAME | PG | GRID | NAME | PG | GRID | NAME | PG | GRID |
|---|---|---|---|---|---|---|---|---|---|---|---|
| FRERE | 28 | CQ 83 | GRABOUW | 6 | DB 57 | HAZYVIEW | 46 | CG 86 | HOUWHOEK | 6 | DB 57 |
| FRIESDALE | 32 | CP 61 | GRABWASSER (NAM.) | 31 | CN 55 | HEATONVILLE | 39 | CP 88 | HOWICK | 28 | CR 84 |
| FRISCHGEWAAGD | 38 | CM 86 | GRAHAMSTOWN | 17 | CZ 74 | HECTORSPRUIT | 47 | CH 87 | HUGO | 13 | CZ 59 |
| | | | GRANAATBOSKOLK | 22 | CS 59 | HEERENLOGEMENT | 12 | CW 56 | HUMANSDORP | 10 | DB 71 |
| GABANE (BOT.) | 43 | CF 73 | GRASKOP | 46 | CG 86 | HEIDELBERG (GAU.) | 45 | CK 80 | HUMEFIELD | 15 | CZ 69 |
| GABORONE (BOT.) | 43 | CG 74 | GRASMERE | 44 | CK 78 | HEIDELBERG (W.C.) | 8 | DB 62 | HUNTLEIGH | 50 | CB 83 |
| GADIEP (NAM.) | 21 | CQ 56 | GRASPAN | 25 | CR 70 | HEIGHTS | 9 | DA 69 | HUTCHINSON | 15 | CV 67 |
| GA-LUKA | 44 | CH 77 | GRASSLANDS | 35 | CN 73 | HEILBRON | 37 | CM 79 | | | |
| GA-MODJADJI | 50 | CD 84 | GRAVELOTTE | 50 | CE 85 | HEKPOORT | 44 | CJ 78 | IDA | 18 | CV 78 |
| GAMOEP | 21 | CS 55 | GRAYS | 18 | CY 78 | HELDINA | 44 | CJ 77 | IFAFA BEACH | 28 | CT 85 |
| GA-MOPEDI | 34 | CM 67 | GREGORY | 49 | CB 81 | HELPMEKAAR | 38 | CP 85 | ILANGAKAZI | 39 | CO 87 |
| GA-NALA (KRIEL) | 45 | CK 82 | GREYLINGSTAD | 37 | CL 81 | HELVETIA | 26 | CS 75 | IMMERPAN | 45 | CF 81 |
| GANSBAAI | 6 | DC 57 | GREYSTONE | 16 | CZ 71 | HEMLOCK | 46 | CJ 85 | IMMIGRANT | 25 | CQ 73 |
| GANSFONTEIN | 13 | CY 59 | GREYTON | 7 | DB 58 | HENDRIKSDAL | 46 | CH 85 | IMPENDLE | 28 | CR 83 |
| GANSKRAAL | 12 | CZ 55 | GREYTOWN | 28 | CQ 85 | HENDRINA | 46 | CK 83 | INANDA | 29 | CR 86 |
| GANSKUIL | 44 | CG 76 | GRIQUATOWN | 24 | CQ 67 | HENNENMAN | 36 | CO 77 | INDWE | 17 | CV 77 |
| GANSPAN | 35 | CO 71 | GROBLERSDAL | 45 | CH 82 | HENNING | 17 | CV 74 | INFANTA | 7 | DC 61 |
| GANYESA | 34 | CL 69 | GROBLERSHOOP | 23 | CQ 64 | HERBERTSDALE | 8 | DB 63 | INGOGO | 38 | CN 83 |
| GA-RAMODINGWANA | 44 | CK 75 | GROENDAL | 6 | DA 57 | HEREFORD | 45 | CG 82 | INGWAVUMA | 39 | CM 89 |
| GA-RANKUWA | 45 | CH 79 | GROENEBLOEM | 36 | CM 76 | HEREFORDS (SWA.) | 47 | CJ 87 | INHACA (MOZ.) | 47 | CJ 90 |
| GARIEP DAM | 25 | CT 73 | GROENFONTEIN | 8 | DA 63 | HERMANUS | 6 | DC 57 | INVERUGIE | 28 | CT 85 |
| GARIES | 21 | CT 55 | GROENRIVIERSMOND | 20 | CU 53 | HERMANUSDORINGS | 48 | CE 78 | INXU | 18 | CV 79 |
| GARNER'S DRIFT | 18 | CW 78 | GROENVLEI | 38 | CN 84 | HERMON | 6 | DA 57 | ISWEPE | 38 | CL 85 |
| GARRYOWEN | 17 | CV 77 | GROESBEEK | 49 | CE 80 | HEROLD | 8 | DB 65 | ITSOSENG | 43 | CK 74 |
| GASELEKA | 49 | CC 79 | GRONDNEUS | 32 | CO 61 | HEROLDS BAY | 8 | DB 65 | IXOPO | 28 | CS 84 |
| GAWACHAB (NAM.) | 30 | CM 54 | GROOT BRAKRIVIER | 8 | DB 64 | HERSCHEL | 26 | CT 77 | IZINGOLWENI | 28 | CU 83 |
| GEGE (SWA.) | 38 | CL 86 | GROOT | | | HERTZOGVILLE | 35 | CO 73 | | | |
| GELUK | 34 | CM 70 | JONGENSFONTEIN | 8 | DC 63 | HESTER | 35 | CM 72 | JACOBSDAL | 25 | CQ 71 |
| GELUKSBURG | 37 | CP 82 | GROOT MARICO | 44 | CH 75 | HET KRUIS | 12 | CY 56 | JAGERSFONTEIN | 25 | CR 73 |
| GELUKSPRUIT | 32 | CO 61 | GROOT SPELONKE | 50 | CD 83 | HEUNINGNESKLOOF | 25 | CQ 71 | JAGHT DRIFT | 23 | CR 62 |
| GELUKWAARTS | 25 | CS 76 | GROOTDORING | 24 | CS 67 | HEUNINGSPRUIT | 36 | CN 77 | JAKKALSPAN | 48 | CE 77 |
| GEMSVLAKTE (NAM.) | 31 | CN 56 | GROOTDRIF | 12 | CV 56 | HEUWELS | 23 | CU 64 | JAMBILA | 46 | CJ 85 |
| GEMVALE | 19 | CV 82 | GROOTDRINK | 33 | CP 63 | HEYDON | 16 | CV 71 | JAMESON PARK | 45 | CK 80 |
| GENADEBERG | 26 | CT 76 | GROOTKRAAL | 14 | CZ 64 | HHOHHO (SWA.) | 47 | CJ 87 | JAMESTOWN | 26 | CU 75 |
| GENADENDAL | 7 | DB 58 | GROOTMIS | 20 | CR 52 | HIBBERDENE | 28 | CT 85 | JAMMERDRIF | 26 | CR 76 |
| GENERAALSNEK | 36 | CP 78 | GROOTPAN | 44 | CJ 75 | HIGG'S HOPE | 24 | CR 67 | JAN KEMPDORP | 35 | CO 71 |
| GENEVA | 36 | CN 76 | GROOTSPRUIT | 38 | CM 85 | HIGHFLATS | 28 | CT 84 | JANE FURSE | 46 | CG 83 |
| GEORGE | 8 | DB 65 | GROOTVLEI | 37 | CL 80 | HILANDALE | 13 | CZ 61 | JANSENVILLE | 16 | CY 71 |
| GERDAU | 43 | CK 74 | GROVÉPUT | 24 | CS 66 | HILDAVALE (BOT.) | 43 | CH 73 | JEFFREYS BAY | 10 | DB 71 |
| GERMISTON | 45 | CK 79 | GRÜNAU (NAM.) | 31 | CP 58 | HILDRETH RIDGE | 50 | CD 84 | JERICHO | 44 | CH 78 |
| GESUKKEL | 46 | CJ 83 | GUIBES (NAM.) | 30 | CL 52 | HILLCREST | 35 | CP 71 | JOEL'S DRIFT (LES.) | 37 | CP 80 |
| GEYSDORP | 35 | CL 72 | GUMTREE | 27 | CQ 78 | HILTON | 28 | CR 84 | JOHANNESBURG | 44 | CK 78 |
| GIESENKRAAL | 24 | CT 67 | | | | HIMEVILLE | 28 | CR 82 | JOHNSON'S POST | 8 | DB 63 |
| GILEAD | 49 | CD 80 | HAAKDORING | 45 | CF 81 | HLABISA | 39 | CO 88 | JOJWENI | 18 | CW 81 |
| GINGINDLOVU | 29 | CQ 88 | HAARLEM | 9 | DA 67 | HLATHIKHULU (SWA.) | 39 | CM 87 | JOLIVET | 28 | CT 84 |
| GIYANI | 50 | CD 85 | HAENERTSBURG | 50 | CE 83 | HLOBANE | 38 | CN 86 | JONGENSKLIP | 7 | DB 59 |
| GLADDEKLIPKOP | 49 | CE 82 | HAGA-HAGA | 18 | CY 79 | HLOGOTLOU | 46 | CG 83 | JORDAN | 42 | CK 67 |
| GLAUDINA | 35 | CM 73 | HALCYON DRIFT | 27 | CU 79 | HLOTSE (LERIBE) | | | JOSLING | 33 | CP 63 |
| GLEN | 26 | CQ 74 | HALESOWEN | 16 | CX 73 | (LES.) | 27 | CQ 79 | JOUBERTINA | 9 | DA 68 |
| GLEN BEULAH | 28 | CT 84 | HALFGEWONNEN | 45 | CK 82 | HLUHLUWE | 39 | CO 89 | JOZINI | 39 | CM 89 |
| GLEN COWIE | 46 | CG 83 | HALFMANSHOF | 12 | CZ 57 | HLUTHI (SWA.) | 39 | CM 87 | JOZUA | 38 | CM 83 |
| GLENCOE | 38 | CO 84 | HALFWEG | 22 | CS 60 | HOBAS (NAM.) | 30 | CN 54 | JUBILEE | 7 | DB 60 |
| GLENCONNOR | 16 | CZ 72 | HALLATT'S HOPE | 35 | CM 72 | HOBENI | 18 | CX 81 | JURGEN (NAM.) | 30 | CL 54 |
| GLENMORE BEACH | 28 | CU 84 | HALSETON | 17 | CV 76 | HOBHOUSE | 26 | CR 77 | JWANENG (BOT.) | 43 | CF 71 |
| GLENROCK | 17 | CX 74 | HAMAB (NAM.) | 31 | CO 57 | HOEDJIES | 13 | CV 60 | | | |
| GLORIA | 45 | CK 82 | HA-MAGORO | 50 | CD 84 | HOEDSPRUIT | 46 | CF 85 | KAALRUG | 47 | CJ 87 |
| GLOSAM | 34 | CO 67 | HAMBURG | 17 | CZ 77 | HOFMEYR | 16 | CW 73 | KAAPMUIDEN | 46 | CH 86 |
| GLÜCKSTADT | 38 | CO 86 | HAMILTON | 37 | CO 82 | HOGSBACK | 17 | CY 76 | KAAPSEHOOP | 46 | CJ 86 |
| GOAGEB (NAM.) | 30 | CL 52 | HAMMANSHOF | 7 | DA 58 | HOKWE | 46 | CG 86 | KAKAMAS | 32 | CP 61 |
| GOBA (KZN) | 28 | CT 84 | HAMMANSKRAAL | 45 | CH 80 | HOLBANK | 38 | CL 84 | KALAMARE (BOT.) | 48 | CC 75 |
| GOBA (LIM.) | 49 | CD 82 | HAMMERSDALE | 28 | CS 85 | HOLMDENE | 37 | CL 81 | KALBASKRAAL | 6 | DA 56 |
| GOBA (MOZ.) | 47 | CK 89 | HANGE | 18 | CW 78 | HOLME PARK | 45 | CG 80 | KALKBANK | 49 | CC 82 |
| GOBAS (NAM.) | 31 | CN 55 | HANKEY | 10 | DA 71 | HOLOMI (SWA.) | 39 | CL 87 | KALKWERF | 33 | CP 63 |
| GOEDEMOED | 26 | CT 75 | HANOVER | 25 | CU 70 | HOLOOG (NAM.) | 30 | CM 54 | KAMEEL | 35 | CL 72 |
| GOLDEN VALLEY | 16 | CY 73 | HANOVER ROAD | 25 | CU 70 | HOLY CROSS | 19 | CV 82 | KAMIESKROON | 21 | CS 54 |
| GOLELA | 39 | CM 88 | HARDING | 28 | CT 83 | HONDEFONTEIN | 14 | CX 63 | KAMKUSI | 50 | CB 83 |
| GOMPIES | 45 | CF 82 | HARRISBURG | 36 | CM 75 | HONDEKLIPBAAI | 20 | CT 52 | KAMMIEBOS | 9 | DA 69 |
| GOMVLEI | 26 | CS 74 | HARRISDALE | 32 | CO 61 | HOOGTE | 37 | CN 79 | KANONEILAND | 32 | CP 62 |
| GONUBIE | 18 | CY 79 | HARRISMITH | 37 | CO 81 | HOOPSTAD | 35 | CN 73 | KANONKOP | 12 | CZ 56 |
| GOOD HOPE (BOT.) | 43 | CH 72 | HARTBEESFONTEIN | 36 | CL 75 | HOPEFIELD | 12 | CZ 55 | KANUS (NAM.) | 31 | CN 56 |
| GOODHOUSE | 21 | CQ 55 | HARTBEESKOP | 46 | CK 85 | HOPETOWN | 24 | CR 69 | KANYAMAZANE | 47 | CH 87 |
| GORAAS | 14 | CV 63 | HARTBEESPOORT | 44 | CJ 78 | HORSE SHOE | 38 | CO 83 | KANYE (BOT.) | 43 | CG 72 |
| GORDONIA | 34 | CO 70 | HARTEBEESFONTEIN | 35 | CO 72 | HOTAGTERKLIP | 7 | DC 59 | KAO (LES.) | 27 | CQ 80 |
| GORDONS BAY | 6 | DB 56 | HARTENBOS | 8 | DB 65 | HOTAZEL | 34 | CM 66 | KARABEE | 24 | CS 66 |
| GORGES (NAM.) | 30 | CN 54 | HARTSWATER | 35 | CO 71 | HOTTENTOTSKLOOF | 13 | CZ 59 | KARASBURG (NAM.) | 31 | CO 56 |
| GOUDA | 12 | CZ 57 | HARVARD | 37 | CM 82 | HOUMOED | 22 | CR 58 | KARATARA | 9 | DB 66 |
| GOURITS | 8 | DB 63 | HATTINGSPRUIT | 38 | CO 84 | HOUT BAY | 6 | DB 56 | KAREE | 26 | CQ 75 |
| GOURITSMOND | 8 | DB 64 | HAUPTRUS | 44 | CJ 76 | HOUTBOSDORP | 49 | CE 82 | KAREEDOUW | 10 | DB 70 |
| GRAAFF-REINET | 16 | CX 70 | HAWSTON | 6 | DC 57 | HOUTENBECK | 36 | CP 75 | KAREEVLAKTE | 7 | DA 61 |
| GRAAFWATER | 12 | CX 55 | HAYFIELD | 24 | CR 69 | HOUTKRAAL | 24 | CT 67 | KARG'S POST | 28 | CR 85 |

| NAME | PG | GRID | NAME | PG | GRID | NAME | PG | GRID | NAME | PG | GRID |
|---|---|---|---|---|---|---|---|---|---|---|---|
| KARIEGA | 11 | DA 76 | KOEGRABIE | 23 | CQ 63 | LAAIPLEK | 12 | CY 55 | LONG HOPE | 16 | CY 73 |
| KARINO | 46 | CH 86 | KOEKENAAP | 12 | CV 55 | LABERA | 42 | CJ 70 | LONGLANDS | 34 | CP 70 |
| KARKAMS | 21 | CT 54 | KOENONG (LES.) | 27 | CQ 79 | LADISMITH | 8 | DA 62 | LONGSIGHT | 46 | CF 85 |
| KAROS | 33 | CP 63 | KOFFIEFONTEIN | 25 | CR 71 | LADY FRERE | 17 | CW 77 | LOSE (BOT.) | 48 | CC 76 |
| KARREEBOSCHKOLK | 22 | CS 60 | KOINGNAAS | 20 | CT 53 | LADY GREY | 26 | CU 77 | LOSKOP | 28 | CQ 82 |
| KARRINGMELKSPRUIT | 26 | CU 77 | KOJALINGO | 50 | CC 86 | LADYBRAND | 26 | CQ 77 | LOSSAND | 12 | CW 56 |
| KASUKA ROAD | 11 | DA 75 | KOKERBOOM (NAM.) | 31 | CO 58 | LADYSMITH | 38 | CP 83 | LOTHAIR | 46 | CK 85 |
| KATHU | 34 | CN 67 | KOKONG (BOT.) | 42 | CF 70 | LAERSDRIF | 46 | CH 83 | LOUBAD | 45 | CF 79 |
| KATKOP | 22 | CS 60 | KOKSTAD | 28 | CT 82 | LAGOA NOVA (MOZ.) | 51 | CE 89 | LOUIS TRICHARDT | | |
| KAYA SE PUT | 44 | CG 75 | KOLKE | 22 | CR 61 | L'AGULHAS | 7 | DD 59 | (MAKHADO) | 50 | CC 84 |
| KAYSER'S BEACH | 18 | CZ 78 | KOLONIESPLAAS | 16 | CW 71 | LAHLANGUBO | 27 | CU 80 | LOUISVALE | 32 | CP 62 |
| KEATE'S DRIFT | 28 | CQ 85 | KOLONYAMA (LES.) | 27 | CQ 78 | LAINGSBURG | 13 | CZ 61 | LOUTERWATER | 9 | DA 68 |
| KEETMANSHOOP | | | KOMATIPOORT | 47 | CH 88 | LAMBERT'S BAY | 12 | CX 55 | LOUWNA | 34 | CL 69 |
| (NAM.) | 31 | CL 55 | KOMGA | 18 | CY 78 | LAMMERKOP | 45 | CJ 82 | LOUWSBURG | 38 | CN 86 |
| KEI MOUTH | 18 | CY 80 | KOMKANS | 21 | CU 55 | LANDPLAAS | 12 | CV 55 | LOUWSPLAAS | 23 | CU 65 |
| KEI ROAD | 17 | CY 77 | KOMMAGGAS | 20 | CS 53 | LANGBERG (N.C.) | 33 | CO 66 | LOVANE | 16 | CV 73 |
| KEIMOES | 32 | CP 61 | KOMMANDOKRAAL | 15 | CZ 66 | LANGBERG (W.C.) | 8 | DB 63 | LOWER ADAMSON | 17 | CV 74 |
| KEISKAMMAHOEK | 17 | CY 77 | KOMMETJIE | 6 | DB 55 | LANGDON | 18 | CW 79 | LOWER LOTENI | 28 | CR 83 |
| KELSO | 28 | CT 85 | KOMMISSIEPOORT | 26 | CR 77 | LANGEBAAN | 12 | CZ 54 | LOWER PITSENG | 27 | CU 80 |
| KEMPTON PARK | 45 | CK 79 | KOMSPRUIT | 36 | CO 78 | LANGEBAANWEG | 12 | CY 55 | LOXTON | 14 | CV 65 |
| KENDAL | 45 | CK 81 | KOOLBANK | 46 | CK 84 | LANGEHORN | 42 | CK 70 | LOXTONVALE | 32 | CP 61 |
| KENDREW | 16 | CY 70 | KOOPAN SUID | 32 | CM 60 | LANGHOLM | 17 | CZ 76 | LOYENGO (SWA.) | 38 | CL 86 |
| KENHARDT | 23 | CR 62 | KOOPMANSFONTEIN | 34 | CO 69 | LANGKLAS | 40 | CG 60 | LUBHUKU (SWA.) | 39 | CL 88 |
| KENILWORTH (N.C.) | 33 | CO 63 | KOOSDRIF | 13 | CV 60 | LANGKLIP | 32 | CO 60 | LUCKHOFF | 25 | CR 71 |
| KENILWORTH (W.C.) | 35 | CP 71 | KOOSFONTEIN | 35 | CM 72 | LANGKUIL | 7 | DB 59 | LUFAFA ROAD | 28 | CS 83 |
| KENNEDY'S VALE | 46 | CG 84 | KOOTJIESKOLK | 13 | CV 60 | LATEMANEK | 38 | CM 84 | LUFUTA | 18 | CW 78 |
| KENTON-ON-SEA | 11 | DA 75 | KOPERSPRUIT | 49 | CB 80 | LAVUMISA (SWA.) | 39 | CM 88 | LULEKANI | 50 | CE 86 |
| KERKRAND | 8 | DA 64 | KOPONG (BOT.) | 43 | CF 73 | LEAD MINE | 44 | CJ 75 | LUNDIN'S NEK | 27 | CT 78 |
| KESTELL | 37 | CO 80 | KOPPIES | 36 | CM 78 | LEANDRA | 45 | CK 81 | LUNEBERG | 38 | CM 85 |
| KETANE (LES.) | 27 | CS 78 | KORINGBERG | 12 | CZ 56 | LEBOWAKGOMO | 45 | CF 82 | LUSIKISIKI | 19 | CV 83 |
| KGAGODI (BOT.) | 48 | CB 78 | KORINGPLAAS | 14 | CY 62 | LEDIG | 44 | CH 76 | LUTOMBE (ZIM.) | 50 | CA 84 |
| KHABO (LES.) | 27 | CQ 79 | KORTNEK | 39 | CM 87 | LEEUBANK | 26 | CT 76 | LUTTIG | 14 | CY 64 |
| KHAKHEA (BOT.) | 42 | CG 68 | KOSMOS | 44 | CJ 78 | LEEUDORINGSTAD | 35 | CM 74 | LUTTIGSHOOP | 23 | CU 63 |
| KHUIS (BOT.) | 33 | CL 63 | KOSTER | 44 | CJ 76 | LEEU-GAMKA | 14 | CY 64 | LUTZPUTS | 32 | CO 61 |
| KIDD'S BEACH | 18 | CZ 78 | KOTZEHOOP | 30 | CP 53 | LEEUPOORT | 44 | CG 78 | LUTZVILLE | 12 | CV 55 |
| KIEKOESVLEI | 12 | CZ 55 | KOTZESRUS | 21 | CU 54 | LEGKRAAL | 49 | CD 82 | LYDENBURG | 46 | CG 85 |
| KIEPERSOL | 46 | CG 86 | KOUKRAAL | 26 | CT 75 | LEGOGOTE | 46 | CH 86 | LYKSO | 34 | CM 69 |
| KIMBERLEY | 35 | CN 71 | KOUP | 14 | CZ 62 | LEHLOHONOLO | 27 | CT 81 | | | |
| KING WILLIAM'S TOWN | 17 | CY 77 | KOUTJIE | 8 | DA 65 | LEIPOLDTVILLE | 12 | CX 55 | MAANHAARRAND | 44 | CJ 77 |
| KINGHOLM | 39 | CM 88 | KRAAIPAN | 43 | CK 72 | LEJONE (LES.) | 27 | CQ 80 | MAARTENSHOOP | 46 | CG 84 |
| KINGSBURGH | 28 | CS 85 | KRAANKUIL | 24 | CS 69 | LEKKERDRAAI | 26 | CU 74 | MAASSTROOM | 49 | CB 79 |
| KINGSCOTE | 28 | CS 82 | KRANSFONTEIN | 37 | CO 80 | LEKKERSING | 20 | CQ 52 | MABAALSTAD | 44 | CH 75 |
| KINGSLEY | 38 | CO 85 | KRANSKOP (KZN) | 39 | CN 87 | LELIEFONTEIN | 21 | CT 55 | MABALANE (MOZ.) | 51 | CE 90 |
| KINGSWOOD | 35 | CN 73 | KRANSKOP (KZN) | 28 | CQ 85 | LEMOEN | 15 | CX 66 | MABESKRAAL | 44 | CH 76 |
| KINIRAPOORT | 27 | CT 80 | KREEFBAAI | 12 | CX 55 | LENASIA | 44 | CK 78 | MABHENSA | 39 | CP 87 |
| KINROSS | 45 | CK 81 | KRIGE | 7 | DB 58 | LENDEPAS (NAM.) | 40 | CG 59 | MABOPANE | 44 | CH 78 |
| KIRKWOOD | 16 | CZ 72 | KROMDRAAI | 45 | CJ 81 | LENTSWELETAU (BOT.) | 43 | CF 73 | MABULA | 45 | CG 79 |
| KLAARSTROOM | 15 | CZ 66 | KROMKOP | 22 | CT 58 | LEONIE | 45 | CG 80 | MABUTSANE (BOT.) | 42 | CF 68 |
| KLAAS VOOGDSRIVIER | 7 | DA 59 | KROMRIVIER | 15 | CW 67 | LEPHALALE | | | MACAENA (MOZ.) | 47 | CE 89 |
| KLASERIE | 46 | CF 86 | KROONSTAD | 36 | CN 77 | (ELLISRAS) | 48 | CD 78 | MACARRETANE (MOZ.) | 47 | CF 89 |
| KLAWER | 12 | CW 56 | KRUGERS | 25 | CS 73 | LERALA (BOT.) | 48 | CB 78 | MACHADODORP | 46 | CJ 84 |
| KLEIN KARAS (NAM.) | 31 | CN 55 | KRUGERSDORP | 44 | CK 78 | LESHWANE | 50 | CE 83 | MACHAILA (MOZ.) | 51 | CA 90 |
| KLEINBEGIN | 23 | CQ 63 | KRUIDFONTEIN | 14 | CY 64 | LETJIESBOS | 14 | CY 65 | MACHANENG (BOT.) | 48 | CC 77 |
| KLEINMOND | 6 | DB 57 | KRUISFONTEIN | 10 | DB 70 | LETSHENG (BOT.) | 48 | CB 77 | MACHANGULO (MOZ.) | 47 | CK 90 |
| KLEINPLAAT | 9 | DA 66 | KRUISPAD | 37 | CO 81 | LETSITELE | 50 | CE 84 | MACHATUINE (MOZ.) | 47 | CH 89 |
| KLEINPOORT | 16 | CZ 71 | KRUISRIVIER | 14 | CZ 64 | LEVUBU | 50 | CC 84 | MACHAVA (MOZ.) | 47 | CJ 89 |
| KLEINRIVIER | 10 | DA 71 | KUBOES | 30 | CP 52 | LEYDSDORP | 50 | CE 85 | MACHIBINI | 39 | CO 88 |
| KLEINSEE | 20 | CR 52 | KUILSRIVIER | 6 | DB 56 | LIBERTAS | 36 | CO 78 | MACLEANTOWN | 18 | CY 78 |
| KLEIPAN | 12 | CW 56 | KU-MAYIMA | 18 | CV 79 | LIBODE | 18 | CV 81 | MACLEAR | 27 | CU 80 |
| KLERKSDORP | 35 | CL 75 | KUMS (NAM.) | 31 | CO 58 | LIBONO (LES.) | 37 | CP 80 | MADADENI | 38 | CN 84 |
| KLERKSKRAAL | 44 | CK 76 | KURUMAN | 34 | CN 67 | LICHTENBURG | 43 | CK 74 | MADIAKGAMA | 42 | CK 69 |
| KLIPDALE | 7 | DB 59 | KUTLWANONG | 36 | CN 76 | LIDDLETON | 17 | CY 75 | MADIBOGO | 43 | CK 72 |
| KLIPFONTEIN (E.C.) | 16 | CZ 72 | KWA-DWESHULA | 28 | CT 84 | LIDGETTON | 28 | CR 83 | MADIPELESA | 34 | CN 70 |
| KLIPFONTEIN (MPUM.) | 47 | CJ 87 | KWACEZA | 39 | CO 87 | LIKALANENG (LES.) | 27 | CR 79 | MADISENG | 46 | CF 84 |
| KLIPHOEK | 12 | CV 55 | KWADUKUZA | | | LILLIPUT | 50 | CB 83 | MADONELA | 39 | CM 89 |
| KLIPKOLK | 23 | CU 64 | (STANGER) | 29 | CR 87 | LIMBURG | 49 | CE 81 | MAFETENG (LES.) | 26 | CS 77 |
| KLIPPLAAT | 16 | CZ 70 | KWAGGASKOP | 46 | CH 84 | LIME ACRES | 34 | CP 67 | MAFIKENG | 43 | CJ 73 |
| KLIPPOORT | 38 | CO 83 | KWAGUQA | 45 | CJ 81 | LINDESHOF | 7 | DB 58 | MAFUBE | 28 | CS 81 |
| KLIPPUNT | 32 | CP 62 | KWA-MASHU | 29 | CR 86 | LINDLEY | 36 | CN 78 | MAFUTSENI (SWA.) | 47 | CK 87 |
| KLIPRIVIER | 38 | CP 84 | KWAMBONAMBI | 39 | CP 89 | LINDLEYSPOORT | 44 | CH 76 | MAGABANENG | 46 | CF 84 |
| KLIPSKOOL | 46 | CH 84 | KWAMHLANGA | 45 | CJ 81 | LIQHOBONG (LES.) | 27 | CQ 80 | MAGALIESBURG | 44 | CJ 77 |
| KLIPSPRUIT (KZN) | 38 | CN 84 | KWANOFODOSI | 18 | CX 79 | LLANDUDNO | 6 | DB 55 | MAGNEET | 35 | CM 74 |
| KLIPSPRUIT (N.C.) | 28 | CT 82 | KWASIZABANTU | | | LOBATSE (BOT.) | 43 | CH 73 | MAGOGONG | 35 | CN 71 |
| KNAPDAAR | 26 | CU 74 | MISSION | 28 | CQ 85 | LOCH BUIDHE | 28 | CS 83 | MAGOPELA | 35 | CN 71 |
| KNEUKEL | 34 | CO 69 | KWEEKUIS | 15 | CV 66 | LOCHIEL | 46 | CK 85 | MAGUDE (MOZ.) | 47 | CG 90 |
| KNOCKAGH | 28 | CT 81 | KYKOEDIE | 7 | DB 59 | LOERIE | 10 | DA 71 | MAGUDU | 39 | CN 87 |
| KNOETZE | 15 | CZ 68 | KYLEMORE | 6 | DB 57 | LOERIESFONTEIN | 22 | CU 58 | MAGUSHENI | 28 | CU 82 |
| KNYSNA | 9 | DB 67 | | | | LOFTER | 25 | CS 73 | MAHALAPYE (BOT.) | 48 | CC 76 |
| KOEDOESKOP | 44 | CG 77 | | | | LOGAGENG | 43 | CJ 71 | MAHLABA | 38 | CP 85 |
| KOEGAS | 23 | CR 65 | LA COTTE | 50 | CD 85 | LOHATLA | 34 | CO 67 | MAHLABATHINI | 39 | CO 87 |

# Index to Place Names

| NAME | PG | GRID | NAME | PG | GRID | NAME | PG | GRID | NAME | PG | GRID |
|---|---|---|---|---|---|---|---|---|---|---|---|
| MAHLANGASI | 39 | CN 88 | MATLABAS | 44 | CF 78 | MODJADJISKLOOF | | | MPUMULWANE | 29 | CQ 86 |
| MAHWELERENG | 49 | CE 81 | MATLALA | 49 | CD 81 | (DUIWELSKLOOF) | 50 | CE 84 | MPUTI | 18 | CW 79 |
| MAIZEFIELD | 37 | CL 82 | MATLAMENG (LES.) | 27 | CQ 80 | MOENG (BOT.) | 48 | CB 78 | MQANDULI | 18 | CW 81 |
| MAKOKSKRAAL | 44 | CK 75 | MATOLA (MOZ.) | 47 | CJ 89 | MOESWAL | 33 | CN 66 | MQWABE | 38 | CN 86 |
| MAKWASSIE | 35 | CM 74 | MATROOSBERG | 13 | CZ 59 | MOGALAKWENA- | | | MSELENI | 39 | CM 90 |
| MAKWATE (BOT.) | 48 | CD 77 | MATSAP | 33 | CP 66 | STROOM | 49 | CE 80 | MTHATHA | 18 | CW 80 |
| MALAITA | 46 | CG 83 | MATSHAYE | 47 | CG 87 | MOGANYAKA | 45 | CG 82 | MTHONJENI | 39 | CM 88 |
| MALAMULELE | 50 | CC 85 | MATSIENG (LES.) | 27 | CR 78 | MOGAPI (BOT.) | 48 | CA 78 | MTUBATUBA | 39 | CP 89 |
| MALAN | 6 | DA 57 | MATTS | 37 | CM 81 | MOGAPINYANA (BOT.) | 48 | CB 77 | MTUNZINI | 29 | CQ 88 |
| MALANGENI | 39 | CM 90 | MAUCHSBERG | 46 | CG 85 | MOGOROSI (BOT.) | 48 | CB 75 | MTWALUME | 28 | CT 85 |
| MALAPATI (ZIM.) | 51 | CA 87 | MAUNATLALA (BOT.) | 48 | CB 78 | MOGWADI (DENDRON) | 49 | CD 82 | MUDEN | 28 | CQ 84 |
| MALEKETLA | 50 | CD 84 | MAVAMBA | 50 | CC 85 | MOGWASE | 44 | CH 77 | MUIZENBERG | 6 | DB 56 |
| MALELANE | 47 | CH 87 | MAZENOD (LES.) | 26 | CR 77 | MOHALES HOEK (LES.) | 26 | CS 77 | MULATI | 50 | CE 85 |
| MALEOSKOP | 45 | CH 82 | MAZEPPA BAY | 18 | CX 80 | MOKAMOLE | 49 | CE 80 | MUNNIK | 50 | CD 83 |
| MALESHE (BOT.) | 41 | CJ 65 | MBABANE (SWA.) | 46 | CK 86 | MOKGOMANE (BOT.) | 43 | CH 72 | MUNSTER | 28 | CU 84 |
| MALGAS | 7 | DB 61 | MBASHE | 18 | CW 80 | MOKHOTLONG (LES.) | 27 | CQ 81 | MUNYU | 18 | CW 79 |
| MALKERNS (SWA.) | 38 | CL 86 | MBASHE BRIDGE | 18 | CW 79 | MOKOBENG (BOT.) | 48 | CC 77 | MUNYWINI | 28 | CR 84 |
| MALMESBURY | 12 | CZ 56 | MBAZWANA | 39 | CN 90 | MOKOPANE | | | MURRAYSBURG | 15 | CW 69 |
| MALOBENI | 39 | CN 89 | MBEKWENI | 6 | DA 57 | (POTGIETERSRUS) | 49 | CE 80 | MUSINA (MESSINA) | 50 | CA 84 |
| MALOMA (SWA.) | 39 | CM 87 | MBOTYI | 19 | CV 83 | MOKOPUNG (LES.) | 27 | CS 79 | MUSWANI | 50 | CC 85 |
| MALOMENI | 39 | CN 88 | MBOYI | 39 | CL 88 | MOKORO (BOT.) | 48 | CB 76 | MVELABUSHA | 39 | CM 90 |
| MALOTWANA (BOT.) | 43 | CF 74 | MBOZA | 39 | CM 89 | MOLENRIVIER | 9 | DA 66 | MVOZANA | 28 | CQ 85 |
| MALUANA (MOZ.) | 47 | CN 90 | MCGREGOR | 7 | DB 59 | MOLEPOLOLE (BOT.) | 43 | CF 73 | MYNFONTEIN | 24 | CU 69 |
| MAMAILA | 50 | CD 84 | MEADOWS | 26 | CR 76 | MOLETSANE (LES.) | 27 | CQ 79 | | | |
| MAMATES (LES.) | 27 | CQ 78 | MEDIPANE (BOT.) | 43 | CF 74 | MOLOPORIVIER | 42 | CJ 70 | NABABEEP | 21 | CR 54 |
| MAMATHWANE | 33 | CM 66 | MELKBOSSTRAND | 6 | DA 55 | MOLOTO | 45 | CH 80 | NAKOP (NAM.) | 32 | CO 59 |
| MAMELODI | 45 | CJ 79 | MELKRIVIER | 49 | CE 79 | MOLTENO | 17 | CV 75 | NAMAACHA (MOZ.) | 47 | CJ 89 |
| MAMRE | 6 | DA 55 | MELLISH | 6 | DA 56 | MONAMETSANA (BOT.) | 43 | CF 74 | NAMAKGALE | 50 | CE 85 |
| MANANGA | 47 | CJ 88 | MELMOTH | 39 | CP 87 | MONTAGU | 7 | DA 60 | NAMIES | 21 | CR 57 |
| MANDINI | 29 | CQ 87 | MELTONWOLD | 15 | CV 66 | MONTE CHRISTO | 48 | CD 78 | NAPIER | 7 | DC 59 |
| MANGENI | 38 | CP 85 | MEMEL | 37 | CN 82 | MONTEVIDEO | 36 | CP 78 | NARIEP | 21 | CU 54 |
| MANHITA (MOZ.) | 47 | CH 90 | MERRIMAN | 15 | CV 68 | MOOI RIVER | 28 | CQ 83 | NARUBIS (NAM.) | 31 | CM 56 |
| MANHOCA (MOZ.) | 39 | CL 90 | MERRIVALE | 28 | CR 84 | MOOIFONTEIN | 43 | CK 73 | NCANARA | 10 | DA 73 |
| MANKAYANE (SWA.) | 38 | CL 86 | MERWEVILLE | 14 | CY 63 | MOOIGELEË | 37 | CN 79 | NDABENI | 39 | CM 89 |
| MANKWENG | 50 | CE 83 | MESA | 44 | CK 76 | MOOIVLEI | 46 | CK 83 | NDIKWE | 38 | CP 86 |
| MANSFIELD | 43 | CK 71 | MESKLIP | 21 | CS 54 | MOOKANENG | 34 | CO 67 | NDUMO | 39 | CL 89 |
| MANTHESTAD | 35 | CN 71 | MEVEDJA (MOZ.) | 47 | CJ 90 | MOOKETSI | 50 | CD 84 | NDUNDULU | 29 | CP 87 |
| MANUBI | 18 | CX 80 | MEYERTON | 37 | CL 79 | MOOKGOPHONG | | | NDWEDWE | 29 | CR 86 |
| MANYISENI | 39 | CL 89 | MEYERVILLE | 37 | CL 81 | (NABOOMSPRUIT) | 45 | CF 80 | NEBO | 46 | CG 83 |
| MANZINI (SWA.) | 39 | CL 87 | MGWALI | 18 | CW 78 | MOOLMAN | 38 | CM 86 | NEILERSDRIF | 32 | CP 61 |
| MAOKENG | 36 | CN 76 | MHINGA | 50 | CB 85 | MOORREESBURG | 12 | CZ 56 | NELSPOORT | 15 | CX 67 |
| MAOPE (BOT.) | 48 | CA 77 | MHLAMBANYATSI (SWA.) | 46 | CK 86 | MOPANE | 50 | CB 83 | NELSPRUIT | 46 | CH 86 |
| MAPAI (MOZ.) | 51 | CC 88 | MHLOSHENI (SWA.) | 39 | CM 87 | MOREBENG | | | NEUSHEK | 32 | CP 61 |
| MAPELA | 49 | CE 80 | MHLUME (SWA.) | 47 | CK 88 | (SOEKMEKAAR) | 50 | CD 83 | NEVADA | 26 | CR 76 |
| MAPHOLANENG (LES.) | 27 | CQ 81 | MHLUZI | 45 | CJ 82 | MORGAN'S BAY | 18 | CY 79 | NEW AMALFI | 27 | CT 81 |
| MAPOTENG (LES.) | 27 | CQ 79 | MICA | 50 | CE 85 | MORGENZON | 37 | CL 82 | NEW ENGLAND | 26 | CU 77 |
| MAPULANGUENE | | | MIDDELBURG (E.C.) | 16 | CV 71 | MORIJA (LES.) | 26 | CR 77 | NEW HANOVER | 28 | CR 84 |
| (MOZ.) | 47 | CF 89 | MIDDELBURG (MPUM.) | 45 | CJ 82 | MOROKWENG | 42 | CK 68 | NEW MACHAVIE | 36 | CL 76 |
| MAPUMULO | 29 | CQ 86 | MIDDELDEEL (F.S.) | 35 | CN 74 | MORONE | 46 | CG 84 | NEWCASTLE | 38 | CN 83 |
| MAPUTO (MOZ.) | 47 | CJ 90 | MIDDELDEEL (F.S.) | 35 | CO 74 | MORRISTOWN | 17 | CV 77 | NEWINGTON | 47 | CG 87 |
| MAPUTSOE (LES.) | 27 | CQ 78 | MIDDELFONTEIN | 45 | CG 80 | MORTIMER | 16 | CX 73 | NGABENI | 28 | CU 83 |
| MARA | 50 | CC 83 | MIDDELPOS | 13 | CW 60 | MORUPULE (BOT.) | 48 | CB 76 | NGCOBO | 18 | CW 78 |
| MARAIS | 16 | CY 70 | MIDDELWIT | 44 | CG 78 | MOSHANENG (BOT.) | 43 | CG 72 | NGOGWENI | 20 | CO 86 |
| MARBLE HALL | 45 | CG 81 | MIDDLEDRIFT | 17 | CY 76 | MOSHESH'S FORD | 27 | CU 78 | NGOME | 39 | CN 87 |
| MARBURG | 28 | CU 84 | MIDDLETON | 16 | CY 73 | MOSITA | 43 | CK 71 | NGONINI (SWA.) | 47 | CJ 87 |
| MARCHAND | 32 | CP 60 | MIDRAND | 45 | CJ 79 | MOSOPO (BOT.) | 43 | CG 72 | NGQELENI | 18 | CW 81 |
| MAREETSANE | 43 | CK 73 | MIELIEBELT | 35 | CL 73 | MOSSEL BAY | 8 | DB 65 | NGQUNGQU | 18 | CW 80 |
| MARGATE | 28 | CU 84 | MIGDOL | 35 | CL 72 | MOSSIESDAL | 45 | CH 82 | NHLANGANO (SWA.) | 39 | CM 87 |
| MARIKANA | 44 | CJ 78 | MILLER | 15 | CZ 69 | MOTETEMA | 45 | CG 82 | NHLAZATSHE | 39 | CO 87 |
| MARITE | 46 | CG 86 | MILLVALE | 44 | CJ 76 | MOTHAE (LES.) | 27 | CQ 81 | NHLOHLELA | 39 | CN 88 |
| MARKEN | 49 | CD 80 | MILNERTON | 6 | DA 55 | MOTKOP | 26 | CU 77 | NIEKERKSHOOP | 24 | CR 66 |
| MARNITZ | 49 | CC 79 | MINNAAR | 45 | CJ 81 | MOTSHIKIRI | 44 | CH 77 | NIETVERDIEND | 43 | CG 74 |
| MAROELAKOP | 44 | CJ 77 | MINNIESKLOOF | 24 | CT 67 | MOUNT ALIDA | 28 | CQ 84 | NIEU-BETHESDA | 16 | CW 70 |
| MARQUARD | 27 | CP 77 | MIRAGE | 36 | CM 75 | MOUNT AYLIFF | 28 | CU 82 | NIEUWOUDTVILLE | 12 | CV 57 |
| MARRACUENE (MOZ.) | 47 | CJ 90 | MISGUND | 9 | DA 68 | MOUNT FLETCHER | 27 | CT 80 | NIGEL | 45 | CK 80 |
| MARSEILLES | 26 | CQ 77 | MISTY MOUNT | 18 | CV 81 | MOUNT FRERE | 27 | CU 81 | NIGRAMOEP | 20 | CR 53 |
| MARTHASPUT | 24 | CU 66 | MKAMBATI | 19 | CV 84 | MOUNT PELAAN | 37 | CO 82 | NKANDLA | 38 | CP 86 |
| MARYDALE | 23 | CR 64 | MKUZE | 39 | CN 88 | MOUNT RUPERT | 34 | CO 70 | NKOMO | 50 | CD 85 |
| MASANGO | 26 | CU 75 | MLAWULA (SWA.) | 47 | CK 88 | MOUNT STEWART | 16 | CZ 70 | NKONKONI | 39 | CN 88 |
| MASELSPOORT | 26 | CQ 75 | MLOLI | 39 | CL 90 | MOWERS | 7 | DA 59 | NKUNGWINI | 39 | CM 88 |
| MASERU (LES.) | 26 | CR 77 | MMABATHO | 43 | CJ 73 | MOYENI (QUTHING) | | | NKWALINI | 39 | CP 87 |
| MASHASHANE | 49 | CE 81 | MMAMABULA (BOT.) | 48 | CD 75 | (LES.) | 27 | CT 78 | NOBANTU | 18 | CV 80 |
| MASIBI | 43 | CJ 72 | MMASHORO (BOT.) | 48 | CA 75 | MPAKA (SWA.) | 47 | CK 88 | NOBOKHWE | 18 | CW 78 |
| MASISI | 50 | CB 86 | MMATHETHE (BOT.) | 43 | CH 72 | MPEMVANA | 38 | CN 85 | NOENIEPUT | 32 | CN 60 |
| MASSINGIR (MOZ.) | 51 | CE 89 | MNYANI | 35 | CL 71 | MPETHU | 18 | CY 79 | NOHANA (LES.) | 27 | CS 78 |
| MASWEHATSHE | 34 | CL 68 | MOAMBA (MOZ.) | 47 | CJ 89 | MPHAKA (LES.) | 27 | CS 79 | NOKONG (LES.) | 27 | CQ 79 |
| MATATIELE | 27 | CT 81 | MOCHUDI (BOT.) | 43 | CF 74 | MPOLWENI | 28 | CR 84 | NONDWENI | 20 | CO 86 |
| MATJIESFONTEIN | 13 | CZ 61 | MODDERRIVIER | 25 | CQ 71 | MPOPHOMENI | 39 | CM 90 | NONGOMA | 39 | CO 87 |
| MATJIESKLOOF | 21 | CS 54 | MODIMOLLE | | | MPOSA | 39 | CP 89 | NOORDHOEK | 6 | DB 55 |
| MATJIESRIVIER | 14 | CZ 62 | (NYLSTROOM) | 45 | CG 79 | MPUMALANGA | 28 | CS 85 | NOORDKAAP | 46 | CJ 85 |

# 97

| NAME | PG | GRID | NAME | PG | GRID | NAME | PG | GRID | NAME | PG | GRID |
|---|---|---|---|---|---|---|---|---|---|---|---|
| NOORDKUIL | 12 | CX 55 | OUDTSHOORN | 8 | DA 64 | PIGGS PEAK (SWA.) | 47 | CJ 87 | RAMATLABAMA | 43 | CJ 73 |
| NOORDOEWER (NAM.) | 30 | CP 54 | OUKRAAL | 7 | DB 58 | PIKETBERG | 12 | CY 56 | RAMOKGONAMI (BOT.) | 48 | CC 77 |
| NORMANDIEN | 38 | CO 83 | OUMUUR | 22 | CU 60 | PILANE (BOT.) | 43 | CF 74 | RAMOTSWA (BOT.) | 43 | CG 73 |
| NORTHAM | 44 | CG 77 | OVER-VAAL | 38 | CL 84 | PILGRIMS REST | 46 | CG 85 | RAMSGATE | 28 | CU 84 |
| NORVALSPONT | 25 | CT 72 | OVERYSSEL | 49 | CD 79 | PILIKWE (BOT.) | 48 | CB 77 | RANAKA (BOT.) | 43 | CG 73 |
| NOTHINTSILA | 18 | CW 81 | OVISTON | 25 | CU 73 | PINETOWN | 29 | CS 86 | RANDALHURST | 38 | CP 86 |
| NOTTINGHAM ROAD | 28 | CR 83 | OWENDALE | 34 | CO 67 | PITSANE (BOT.) | 43 | CH 73 | RANDBURG | 44 | CK 78 |
| NOUPOORT | 16 | CV 71 | OYSTER BAY | 10 | DB 70 | PITSENG (LES.) | 27 | CQ 79 | RANDFONTEIN | 44 | CK 77 |
| NOUS | 32 | CP 59 | | | | PLASTON | 46 | CH 86 | RANDVAAL | 37 | CL 79 |
| NQABARHA | 18 | CX 81 | PAARL | 6 | DA 57 | PLATBAKKIES | 21 | CT 55 | RATELFONTEIN | 12 | CN 79 |
| NQABENI | 28 | CU 83 | PACALTSDORP | 8 | DB 65 | PLATEAU | 34 | CO 69 | RATOMBO | 50 | CC 84 |
| NQAMAKHWE | 18 | CX 78 | PADDAGAT | 21 | CU 55 | PLATHUIS | 7 | DA 61 | RAWSONVILLE | 7 | DA 58 |
| NQUTU | 38 | CO 85 | PADDOCK | 28 | CU 84 | PLATRAND | 37 | CM 82 | RAYTON | 45 | CJ 80 |
| NSOKO (SWA.) | 39 | CM 88 | PAFURI | 51 | CB 87 | PLETTENBERG BAY | 9 | DB 67 | REDCLIFFE | 28 | CR 83 |
| NSUBENI | 38 | CO 86 | PAFURI GATE | 50 | CB 86 | PLOOYSBURG | 25 | CQ 70 | REDDERSBURG | 26 | CR 74 |
| NTABAMHLOPE | 28 | CQ 82 | PAJE (BOT.) | 48 | CA 76 | PNIEL | 6 | DA 57 | REDELINGHUYS | 12 | CX 56 |
| NTABANKULU | 28 | CU 82 | PALALA | 45 | CF 80 | POFADDER | 22 | CQ 58 | REDLANDS | 24 | CS 66 |
| NTABEBOMVU | 38 | CO 85 | PALAPYE (BOT.) | 48 | CB 77 | POLITSI | 50 | CE 84 | REDOUBT | 28 | CU 84 |
| NTAMBANANA | 39 | CP 88 | PALEISHEUWEL | 12 | CX 56 | POLOKWANE | | | REGUA (MOZ.) | 51 | CC 89 |
| NTIBANE | 18 | CV 80 | PALINGPAN | 34 | CO 67 | (PIETERSBURG) | 49 | CE 82 | REITZ | 37 | CN 79 |
| NTISANA | 18 | CX 79 | PALM BEACH | 28 | CU 84 | POMEROY | 38 | CP 84 | REITZBURG | 36 | CM 76 |
| NTSHILINI | 19 | CV 82 | PALMEIRA (MOZ.) | 47 | CN 90 | POMFRET | 42 | CJ 68 | REIVILO | 34 | CN 69 |
| NTUNJAMBILI | 29 | CQ 86 | PALMERTON | 19 | CV 82 | PONGOLA | 39 | CM 87 | REMHOOGTE | 8 | DA 63 |
| NTYWENKA | 18 | CV 80 | PALMIETFONTEIN | 26 | CT 77 | PONTA DO OURO | | | RENIER | 7 | DB 61 |
| NULLI (ZIM.) | 50 | CA 84 | PAMPIERSTAD | 34 | CN 70 | (MOZ.) | 39 | CL 90 | RENOSTERKOP | 15 | CX 66 |
| NUMBI GATE | 46 | CH 86 | PAMPOENPOORT | 24 | CU 66 | POOLS | 12 | CY 56 | RESSANO GARCIA | | |
| NUTFIELD | 45 | CG 81 | PANBULT | 38 | CL 85 | PORT ALFRED | 11 | DA 76 | (MOZ.) | 47 | CH 89 |
| NUWE SMITSDORP | 49 | CE 82 | PANSDRIF | 44 | CH 78 | PORT EDWARD | 28 | CU 84 | RESTVALE | 15 | CX 66 |
| NUWEFONTEIN (NAM.) | 31 | CO 57 | PAPENDORP | 12 | CW 55 | PORT ELIZABETH | 10 | DB 72 | RHODES | 27 | CU 78 |
| NUWERUS | 12 | CV 55 | PAPIESVLEI | 7 | DC 58 | PORT GROSVENOR | 19 | CV 83 | RICHARDS BAY | 39 | CP 89 |
| NYALA (ZIM.) | 51 | CA 87 | PAPKUIL | 34 | CP 68 | PORT NOLLOTH | 20 | CQ 51 | RICHMOND (KZN) | 28 | CS 84 |
| NYATHINI | 29 | CQ 87 | PARADISE | 35 | CL 71 | PORT OWEN | 12 | CY 55 | RICHMOND (N.C.) | 15 | CV 69 |
| NYOKANA | 18 | CX 80 | PARADISE BEACH | 10 | DB 71 | PORT SHEPSTONE | 28 | CU 85 | RIEBEECK-EAST | 17 | CZ 74 |
| NYONI | 29 | CQ 87 | PARADYS | 25 | CS 73 | PORT ST JOHNS | 19 | CW 83 | RIEBEECKSTAD | 36 | CO 76 |
| | | | PARK RYNIE | 28 | CT 85 | PORTERVILLE | 12 | CZ 57 | RIEBEEK-KASTEEL | 12 | CZ 56 |
| OAKDENE | 17 | CY 76 | PAROW | 6 | DB 56 | POST CHALMERS | 16 | CX 72 | RIEBEEK-WES | 12 | CZ 56 |
| OASIS | 36 | CM 76 | PARYS | 36 | CL 77 | POSTMASBURG | 34 | CP 67 | RIEKERTSDAM | 44 | CH 75 |
| OATLANDS | 16 | CY 70 | PASSENE (MOZ.) | 47 | CJ 89 | POTCHEFSTROOM | | | RIEMVASMAAK | 32 | CP 60 |
| OBAN | 45 | CK 81 | PATENSIE | 10 | DA 71 | (TLOKWE) | 36 | CL 77 | RIET | 24 | CU 69 |
| OBOBOGORAP | 32 | CM 60 | PATERNOSTER | 12 | CY 54 | POTFONTEIN | 24 | CS 69 | RIETBRON | 15 | CY 67 |
| ODENDAALSRUS | 36 | CN 76 | PATERSON | 10 | DA 73 | POTLOODSPRUIT | 46 | CG 84 | RIETFONTEIN (N.C.) | 32 | CL 60 |
| OFCOLACO | 50 | CE 84 | PATLONG (LES.) | 27 | CS 79 | POTSDAM | 18 | CY 78 | RIETFONTEIN (N.C.) | 21 | CS 55 |
| OGIES | 45 | CK 81 | PAUL | 44 | CH 77 | POUPAN | 24 | CS 69 | RIETFONTEIN (N.C.) | 22 | CT 60 |
| OHRIGSTAD | 46 | CG 85 | PAUL KRUGER GATE | 47 | CG 87 | PRETORIA | 45 | CJ 79 | RIETFONTEIN (N.C.) | 14 | CW 62 |
| OKIEP | 21 | CR 54 | PAUL ROUX | 36 | CO 78 | PRIESKA | 24 | CR 66 | RIETFONTEIN (N.C.) | 14 | CX 62 |
| OLD BUNTING | 18 | CW 81 | PAULPIETERSBURG | 38 | CM 85 | PRINCE ALBERT | 14 | CZ 64 | RIETFONTEIN (N.C.) | 13 | CY 60 |
| OLD MORLEY | 18 | CW 81 | PEARLY BEACH | 7 | DC 58 | PRINCE ALBERT | | | RIETHUISKRAAL | 8 | DB 62 |
| OLIFANTSHOEK | 33 | CO 66 | PEARSTON | 16 | CY 72 | ROAD | 14 | CZ 64 | RIETKOLK | 49 | CE 82 |
| OLIFANTSKOP | 25 | CQ 71 | PEDDIE | 17 | CZ 76 | PRINCE ALFRED | | | RIETKUIL (F.S.) | 37 | CN 81 |
| OLIVE | 26 | CT 74 | PEERBOOM | 23 | CU 65 | HAMLET | 13 | CZ 58 | RIETKUIL (MPUM.) | 46 | CJ 83 |
| OLYFBERG | 50 | CE 83 | PEKA (LES.) | 27 | CQ 78 | PRINGLE BAY | 6 | DB 56 | RIETPAN | 35 | CL 72 |
| OMDRAAISVLEI | 24 | CS 67 | PELLA | 21 | CQ 57 | PRIORS | 25 | CT 73 | RIETPOORT | 21 | CU 55 |
| ONDERSTEDORINGS | 22 | CT 61 | PENGE | 46 | CF 84 | PROTEM | 7 | DB 60 | RITA | 50 | CD 83 |
| ONDER-WADRIF | 13 | CX 59 | PENNINGTON | 28 | CT 85 | PUDIMOE | 35 | CM 71 | RITCHIE | 25 | CQ 70 |
| ONGERS | 24 | CT 67 | PEPWORTH | 38 | CP 83 | PULLEN'S HOPE | 45 | CJ 82 | RIVER VIEW | 39 | CP 89 |
| ONRUS | 6 | DC 57 | PERDEBERG | 25 | CQ 71 | PUNDA MARIA GATE | 50 | CB 86 | RIVERSDALE | 8 | DB 63 |
| ONS HOOP | 48 | CD 78 | PERDEKOP | 38 | CM 83 | PUNTJIE | 8 | DB 62 | RIVERSIDE | 28 | CS 83 |
| ONSEEPKANS | 31 | CP 58 | PETERSBURG | 16 | CX 71 | PUTSONDERWATER | 23 | CQ 63 | RIVERTON | 35 | CP 71 |
| ONTMOETING | 33 | CM 63 | PETRUS STEYN | 37 | CN 79 | PYLKOP | 50 | CB 83 | RIVIERA | 34 | CO 70 |
| ONTSPRINGEN | 26 | CU 74 | PETRUSBURG | 25 | CQ 72 | | | | RIVIERSONDEREND | 7 | DB 59 |
| ONVERWACHT | 48 | CE 78 | PETRUSVILLE | 25 | CS 70 | QACHA'S NEK (LES.) | 27 | CS 80 | ROAMER'S REST | 27 | CT 80 |
| OOREENKOMS | 36 | CO 78 | PETRUSVILLE | 13 | CV 61 | QAMATA | 17 | CW 77 | ROBERTS DRIFT | 37 | CL 81 |
| OORKRUIS | 23 | CQ 63 | PEWULENI | 17 | CY 76 | QHOBELA (LES.) | 37 | CP 80 | ROBERTSON | 7 | DA 59 |
| OORWINNING | 50 | CC 83 | PHALABORWA | 50 | CE 86 | QHOLORA MOUTH | 18 | CY 79 | ROCKMOUNT | 28 | CQ 82 |
| OOSTERMOED | 44 | CF 76 | PHAMONG (LES.) | 27 | CT 78 | QHORHA MOUTH | 18 | CX 80 | RODE | 27 | CU 81 |
| OP DIE BERG | 13 | CY 58 | PHILADELPHIA | 6 | DA 56 | QIBA | 18 | CV 78 | RODENBECK | 26 | CQ 75 |
| OPPERMANS | 25 | CR 71 | PHILIPPOLIS | 25 | CT 72 | QOBONG (LES.) | 27 | CS 78 | ROEDTAN | 45 | CF 81 |
| ORANIA | 25 | CS 70 | PHILIPPOLIS ROAD | 25 | CS 72 | QOMBOLO | 17 | CW 77 | ROMA (LES.) | 27 | CR 78 |
| ORANJEFONTEIN | 48 | CD 78 | PHILIPSTOWN | 25 | CT 70 | QOQODALA | 17 | CW 76 | RONDEVLEI | 9 | DB 66 |
| ORANJEMUND (NAM.) | 30 | CP 51 | PHITSANE MOLOPO | 43 | CJ 72 | QUARRY | 13 | CZ 60 | ROODEBANK | 37 | CL 81 |
| ORANJERIVIER | 25 | CR 70 | PHOENIX | 29 | CR 86 | QUDENI | 38 | CP 86 | ROODEPAN | 25 | CR 71 |
| ORANJEVILLE | 37 | CM 79 | PHOKWANE | 46 | CG 83 | QUEENSBURGH | 29 | CS 86 | ROODEPLAAT | 45 | CH 80 |
| ORKNEY | 36 | CM 76 | PHOMOLONG | 37 | CO 81 | QUEENSTOWN | 17 | CW 76 | ROODEPOORT | 44 | CK 78 |
| OSBORN | 27 | CP 86 | PHUTHADITJHABA | 37 | CP 81 | QUKO | 18 | CY 79 | ROOIBERG | 44 | CG 78 |
| OSFONTEIN | 26 | CU 74 | PHUZUMOYA (SWA.) | 39 | CL 88 | QUMBU | 18 | CV 81 | ROOIBOKKRAAL | 48 | CE 76 |
| OSIZWENI | 38 | CN 84 | PIENAARSRIVIER | 45 | CH 79 | | | | ROOIBOSBULT | 48 | CE 77 |
| OTIMATI | 29 | CQ 86 | PIET PLESSIS | 42 | CK 70 | RADISELE (BOT.) | 48 | CB 76 | ROOIELS | 6 | DB 56 |
| OTSE (BOT.) | 43 | CG 73 | PIET RETIEF | 38 | CM 85 | RADIUM | 45 | CG 79 | ROOIFONTEIN | 35 | CP 71 |
| OTTOSDAL | 35 | CL 74 | PIETER MEINTJES | 13 | CZ 60 | RALEBONA (LES.) | 27 | CT 78 | ROOIGROND | 43 | CJ 73 |
| OTTOSHOOP | 43 | CJ 73 | PIETERMARITZBURG | 28 | CR 85 | RAMA | 35 | CM 71 | ROOIKRAAL | 46 | CH 83 |

# Index to Place Names

| NAME | PG | GRID | NAME | PG | GRID | NAME | PG | GRID | NAME | PG | GRID |
|---|---|---|---|---|---|---|---|---|---|---|---|
| ROOILOOP | 9 | DA 66 | SELEBI PHIKWE (BOT.) | 48 | CA 78 | SOMERSET EAST | 16 | CY 73 | SUNNYSIDE | 10 | DA 72 |
| ROOILYF | 33 | CP 64 | SELEKA (BOT.) | 48 | CC 77 | SOMERSET WEST | 6 | DB 57 | SUTHERLAND | 13 | CX 61 |
| ROOIPAN | 24 | CQ 69 | SELOKOLELA (BOT.) | 43 | CG 72 | SONDERPAN | 23 | CQ 63 | SUTTON | 33 | CN 66 |
| ROOISPRUIT | 16 | CV 72 | SELONSRIVIER | 45 | CH 82 | SONOP | 44 | CJ 78 | SUURBERG | 16 | CZ 73 |
| ROOIWAL | 36 | CM 78 | SEMONKONG (LES.) | 27 | CS 78 | SONSTRAAL | 33 | CM 65 | SUURBRAAK | 7 | DB 61 |
| ROOSBOOM | 38 | CP 83 | SENDELINGSDRIF | 30 | CO 51 | SOUTH DOWNS | 28 | CQ 83 | SUURLAER | 37 | CP 82 |
| ROOSSENEKAL | 46 | CH 83 | SENDELINGSFONTEIN | 35 | CL 74 | SOUTHBROOM | 28 | CU 84 | SWAERSHOEK | 16 | CX 73 |
| RORKE'S DRIFT | 38 | CP 85 | SENDING | 49 | CC 82 | SOUTHEYVILLE | 17 | CW 77 | SWART UMFOLOZI | 39 | CO 87 |
| ROSEBANK | 28 | CS 84 | SENEKAL | 36 | CO 78 | SOUTHPORT | 28 | CT 85 | SWARTBERG | 28 | CT 82 |
| ROSEDENE | 14 | CW 65 | SENGWE (ZIM.) | 50 | CA 86 | SOUTHWELL | 11 | DA 75 | SWARTKOPS | 10 | DA 73 |
| ROSEHAUGH | 46 | CH 85 | SENLAC | 42 | CJ 68 | SOUTPAN | 35 | CP 74 | SWARTMODDER | 32 | CO 60 |
| ROSENDAL | 36 | CP 78 | SENTRUM | 44 | CF 77 | SOWETO | 44 | CK 78 | SWARTPLAAS | 44 | CK 76 |
| ROSETTA | 28 | CR 83 | SENWABARANA | | | SPANJAARD | 12 | CY 55 | SWARTRUGGENS | 44 | CJ 76 |
| ROSH PINAH (NAM.) | 30 | CO 51 | (BOCHUM) | 49 | CD 81 | SPANWERK | 48 | CE 76 | SWARTWATER | 49 | CC 79 |
| ROSMEAD | 16 | CV 72 | SEPANE | 26 | CQ 76 | SPEELMANSKRAAL | 9 | DA 66 | SWAWEL | 13 | CV 60 |
| ROSSOUW | 17 | CV 77 | SERENA | 50 | CB 85 | SPES BONA | 36 | CM 76 | SWEETFONTEIN | 24 | CT 68 |
| ROTHMERE | 18 | CX 80 | SERINGKOP | 45 | CH 80 | SPITSKOPVLEI | 16 | CW 72 | SWELLENDAM | 7 | DB 60 |
| ROUXPOS | 14 | CZ 62 | SEROWE (BOT.) | 48 | CB 76 | SPOEDWEL | 45 | CG 81 | SWEMPOORT | 17 | CV 76 |
| ROUXVILLE | 26 | CT 76 | SERULE (BOT.) | 48 | CA 77 | SPOEGRIVIER | 21 | CT 54 | SWINBURNE | 37 | CO 82 |
| RUBIDA | 26 | CS 77 | SESHEGO | 49 | CE 82 | SPRIGG | 32 | CP 62 | SYBRANDSKRAAL | 45 | CH 80 |
| RUGSEER | 23 | CQ 62 | SETLAGOLE | 43 | CK 71 | SPRING VALLEY | 17 | CX 75 | SYDNEY-ON-VAAL | 34 | CP 69 |
| RUST | 12 | CZ 56 | SETTLERS | 45 | CG 80 | SPRINGBOK | 21 | CR 54 | SYFERGAT | 17 | CV 75 |
| RUST DE WINTER | 45 | CH 80 | SETUAT | 34 | CL 70 | SPRINGFONTEIN | 25 | CT 73 | SYFERKUIL | 37 | CM 79 |
| RUSTENBURG | 44 | CJ 76 | SEVENOAKS | 28 | CQ 85 | SPRINGS | 45 | CK 80 | | | |
| RUSTIG | 36 | CM 76 | SEVERN | 33 | CL 66 | SPRUITDRIF | 12 | CW 56 | TADCASTER | 35 | CN 71 |
| RUSVERBY | 44 | CH 76 | SEYMOUR | 17 | CY 76 | SPYTFONTEIN | 25 | CQ 70 | TAFELBERG | 16 | CV 72 |
| RUTLAND | 45 | CF 81 | SEZELA | 28 | CT 85 | ST CLAIR | 24 | CQ 69 | TAINTON | 18 | CY 79 |
| | | | SHAKA'S ROCK | 29 | CR 87 | ST CUTHBERTS | 18 | CV 80 | TALENI | 18 | CX 79 |
| S. JORGE DE LIMPOPO | | | SHAKASKRAAL | 29 | CR 86 | ST FAITH'S | 28 | CT 84 | TANINGA (MOZ.) | 47 | CN 90 |
| (MOZ.) | 51 | CB 88 | SHAMLEY'S FARM | 23 | CR 65 | ST FRANCIS BAY | 10 | DB 71 | TARKASTAD | 17 | CW 75 |
| SAAIFONTEIN | 14 | CW 64 | SHANNON | 26 | CQ 75 | ST HELENA BAY | 12 | CY 54 | TAUNG | 35 | CN 71 |
| SABIE (MOZ.) | 47 | CH 89 | SHEEPHOUSE | 25 | CR 70 | ST LUCIA | 39 | CP 89 | TEAKSEND | 38 | CL 83 |
| SABIE (MPUM.) | 46 | CG 85 | SHEEPMOOR | 38 | CL 84 | ST MARKS | 17 | CW 77 | TEEBUS | 16 | CV 73 |
| SADA | 17 | CX 76 | SHEFFIELD BEACH | 29 | CR 87 | STAANSAAM | 32 | CM 62 | TEMBA | 45 | CH 79 |
| SAKRIVIER | 22 | CU 60 | SHELDON | 16 | CZ 73 | STAFFORD'S POST | 28 | CT 83 | TEMBISA | 45 | CJ 79 |
| SALAMANGA (MOZ.) | 47 | CK 90 | SHELLY BEACH | 28 | CU 85 | STANDERTON | 37 | CL 82 | TERRA FIRMA | 42 | CJ 67 |
| SALDANHA | 12 | CZ 54 | SHEMULA | 39 | CM 89 | STANFORD | 7 | DC 58 | TEVIOT | 16 | CW 73 |
| SALEM | 11 | DA 75 | SHERBORNE | 16 | CY 71 | STANMORE | 28 | CQ 84 | TEWANA (BOT.) | 48 | CC 76 |
| SALPETERPAN | 34 | CM 70 | SHERWOOD (BOT.) | 48 | CC 78 | STEEKDORINGS | 34 | CM 70 | TEYATEYANENG (LES.) | 27 | CQ 78 |
| SALT LAKE | 24 | CQ 69 | SHOSHONG (BOT.) | 48 | CC 75 | STEELPOORT | 46 | CG 84 | TEZA | 39 | CP 88 |
| SALT ROCK | 29 | CR 87 | SIBTHORPE | 46 | CH 86 | STEENBOKPAN | 48 | CD 77 | THABA BOSIU (LES.) | 27 | CR 78 |
| SANDBERG | 12 | CX 56 | SIDVOKODVO (SWA.) | 39 | CL 87 | STEILLOOPBRUG | | | THABA CHITJA | 27 | CT 80 |
| SANDKOP | 23 | CU 65 | SIDWADWENI | 18 | CV 81 | (REBONE) | 49 | CD 80 | THABA NCHU | 26 | CQ 75 |
| SANDTON | 45 | CK 79 | SIGNALBERG (NAM.) | 31 | CN 55 | STEILRAND | 38 | CN 86 | THABA PHATSHWA | 26 | CR 76 |
| SANDVERHAAR (NAM.) | 30 | CL 53 | SIGOGA | 27 | CT 80 | STEILWATER | 49 | CD 80 | THABA-TSEKA (LES.) | 27 | CR 80 |
| SANDVLAKTE | 9 | DA 69 | SIGUBUDU | 39 | CO 88 | STEINKOPF | 21 | CQ 54 | THABAZIMBI | 44 | CF 77 |
| SANGO (MOZ.) | 51 | CA 88 | SIHHOYE (SWA.) | 47 | CJ 87 | STEINS | 14 | CX 65 | THABONG | 36 | CO 76 |
| SANNASPOS | 26 | CQ 75 | SIKWANE (BOT.) | 44 | CF 75 | STELLA | 35 | CL 71 | THAMAGA (BOT.) | 43 | CF 72 |
| SANNIESHOF | 43 | CK 73 | SILENT VALLEY | 44 | CF 75 | STELLENBOSCH | 6 | DB 57 | THE BATHS | 12 | CY 57 |
| SANTA MARIA (MOZ.) | 47 | CK 90 | SILKAATSKOP | 44 | CG 75 | STERKAAR | 24 | CU 68 | THE CRAGS | 9 | DB 68 |
| SARON | 41 | CK 66 | SILUTSHANA | 38 | CO 86 | STERKLOOP | 46 | CH 83 | THE DOWNS | 50 | CE 84 |
| SASOLBURG | 36 | CL 78 | SILVER STREAMS | 34 | CO 68 | STERKSPRUIT | 26 | CT 77 | THE HAVEN | 18 | CX 81 |
| SATCO (NAM.) | 31 | CO 56 | SIMONS TOWN | 6 | DB 56 | STERKSTROOM | 17 | CV 75 | THE HEADS | 9 | DB 67 |
| SAUER | 12 | CY 56 | SINGISI | 28 | CT 82 | STERKWATER | 49 | CE 80 | THE RANCH | 38 | CP 85 |
| SCARBOROUGH | 6 | DB 55 | SIPHOFANENI (SWA.) | 39 | CL 88 | STERLING | 14 | CV 63 | THERON | 36 | CO 76 |
| SCHAKALSKUPPE | | | SIR LOWRY'S PASS | 6 | DB 57 | STEYNSBURG | 16 | CV 73 | THEUNISSEN | 36 | CP 75 |
| (NAM.) | 30 | CL 51 | SISHEN | 33 | CN 66 | STEYNSRUS | 36 | CO 77 | THOHOYANDOU | 50 | CE 85 |
| SCHEEPERSNEK | 38 | CN 85 | SITEKI (SWA.) | 47 | CK 88 | STEYTLERVILLE | 16 | CZ 70 | THOKAZI | 39 | CN 87 |
| SCHMIDTSDRIF | 34 | CP 69 | SITHOBELA (SWA.) | 39 | CL 87 | STILFONTEIN | 36 | CL 76 | THOMAS RIVER | 17 | CX 77 |
| SCHOEMANSHOEK | 8 | DA 64 | SITTINGBOURNE | 17 | CZ 77 | STILL BAY | 8 | DB 63 | THORNDALE | 50 | CD 83 |
| SCHOOMBEE | 16 | CV 73 | SIYABUSWA | 45 | CG 81 | STOCKPOORT | 48 | CD 77 | THORNHILL | 10 | DB 71 |
| SCHUTTESDRAAI | 36 | CN 75 | SKAAPVLEI | 12 | CV 55 | STOFVLEI | 21 | CT 56 | THORNVILLE | 28 | CR 84 |
| SCHWEIZER-RENEKE | 35 | CM 73 | SKEERPOORT | 44 | CJ 78 | STOMPNEUS BAY | 12 | CY 54 | THREE SISTERS | 15 | CW 67 |
| SCOTTBURGH | 28 | CT 85 | SKERPIOENPUNT | 23 | CQ 65 | STONEYRIDGE | 18 | CV 81 | TIERFONTEIN | 35 | CO 74 |
| SEA PARK | 28 | CU 85 | SKIPSKOP | 7 | DC 60 | STORMBERG | 17 | CV 75 | TIERKLOOF | 35 | CM 71 |
| SEA VIEW | 10 | DB 72 | SKOENMAKERSKOP | 10 | DB 72 | STORMSRIVIER | 9 | DB 69 | TIERPOORT | 26 | CR 74 |
| SEAFIELD | 11 | DA 76 | SKUINSDRIF | 44 | CH 75 | STORMSVLEI | 7 | DB 59 | TINA BRIDGE | 27 | CU 81 |
| SEBAPALA (LES.) | 27 | CT 78 | SKUKUZA | 47 | CG 87 | STRAATSDRIF | 44 | CH 75 | TLHAKGAMENG | 43 | CK 70 |
| SEBAYENG | 50 | CE 83 | SLANGRIVIER | 10 | DB 70 | STRAND | 6 | DB 56 | TOESLAAN | 32 | CO 60 |
| SEBOKENG | 36 | CL 78 | SLEUTELSPOORT | 25 | CS 72 | STRANDFONTEIN | 12 | CW 55 | TOLENI | 18 | CX 79 |
| SECUNDA | 45 | CK 81 | SLURRY | 43 | CJ 73 | STRUISBAAI | 7 | DC 60 | TOLWE | 49 | CC 80 |
| SEDGEFIELD | 9 | DB 66 | SMITHFIELD | 26 | CS 75 | STRYDENBURG | 24 | CS 68 | TOM BURKE | 49 | CC 79 |
| SEEHEIM (NAM.) | 30 | CL 52 | SNEEUKRAAL | 15 | CW 66 | STUDTIS | 9 | DA 69 | TOMBO | 19 | CW 82 |
| SEEKOEGAT | 14 | CZ 65 | SNEEZEWOOD | 28 | CT 83 | STUTTERHEIM | 17 | CY 77 | TOMPI SELEKA | 45 | CG 82 |
| SEFAKO (LES.) | 37 | CP 80 | SNYKOLK | 13 | CV 61 | STUURMAN | 13 | CV 60 | TONASH | 49 | CB 80 |
| SEFOPHE (BOT.) | 48 | CA 76 | SODIUM | 24 | CS 67 | SUIDVAAL | 38 | CL 83 | TONGAAT | 29 | CR 86 |
| SEHLABATHEBE (LES.) | 27 | CS 81 | SOEBATSFONTEIN | 21 | CS 54 | SUMMERSTRAND | 10 | DB 73 | TONTELBOS | 22 | CU 60 |
| SEHONGHONG (LES.) | 27 | CR 80 | SOETENDAL | 6 | DA 57 | SUN CITY / LOST CITY | 44 | CH 76 | TOPPING | 8 | DA 65 |
| SEKHUKHUNE | 46 | CG 84 | SOLE | 17 | CX 77 | SUNDRA | 45 | CK 80 | TOSCA | 42 | CJ 69 |
| SEKOMA (BOT.) | 42 | CF 69 | SOLOMONDALE | 50 | CE 83 | SUNLAND | 10 | DA 73 | TOSING (LES.) | 27 | CT 78 |

| NAME | PG | GRID | NAME | PG | GRID | NAME | PG | GRID | NAME | PG | GRID |
|---|---|---|---|---|---|---|---|---|---|---|---|
| TOUWS RIVER | 13 | CZ 60 | UTRECHT | 38 | CN 84 | VRYBURG | 35 | CL 71 | WITRAND | 46 | CK 84 |
| TRAWAL | 12 | CW 56 | UVONGO | 28 | CU 85 | VRYHEID | 38 | CN 85 | WITSAND | 7 | DC 61 |
| TRICHARDT | 45 | CK 82 | UYSKLIP | 26 | CR 75 | VRYHOF | 43 | CJ 73 | WITTEDRIF | 9 | DB 67 |
| TRICHARDTSDAL | 50 | CE 85 | VAALVLEI | 12 | CW 55 | VUNDICA (MOZ.) | 47 | CH 89 | WITTEKLIP | 10 | DA 72 |
| TROMPSBURG | 25 | CS 73 | VAALWATER | 45 | CF 79 | VUVULANE (SWA.) | 47 | CK 88 | WITTENBERG | 38 | CM 85 |
| TROOILAPSPAN | 33 | CP 63 | VAL | 37 | CL 81 | VUWANI | 50 | CC 85 | WITTEWATER | 12 | CY 56 |
| TSARAXAIBIS (NAM.) | 31 | CM 57 | VALSPAN | 24 | CR 68 | | | | WITWATER | 21 | CX 55 |
| TSATSU (BOT.) | 43 | CH 72 | VALSRIVIER | 37 | CO 79 | WAAIPUNT | 24 | CU 66 | WOLFHUIS | 12 | CX 55 |
| TSAZO | 18 | CW 78 | VAN AMSTEL | 15 | CV 66 | WAGENAARSKRAAL | 15 | CW 66 | WOLMARANSSTAD | 35 | CM 73 |
| TSETSEBJWE (BOT.) | 49 | CB 79 | VAN REENEN | 37 | CO 82 | WAKKERSTROOM | 38 | CM 83 | WOLPLAAS (NAM.) | 31 | CO 57 |
| TSHABONG (BOT.) | 41 | CJ 65 | VAN ROOYEN | 38 | CO 84 | WALKERVILLE | 45 | CK 79 | WOLSELEY | 12 | CZ 57 |
| TSHAKHUMA | 50 | CC 86 | VAN STADENSRUS | 26 | CS 77 | WALKRAAL | 14 | CV 62 | WOLWEFONTEIN | 16 | CZ 71 |
| TSHANENI (SWA.) | 47 | CJ 87 | VAN WYKSDORP | 8 | DA 63 | WALLEKRAAL | 20 | CT 53 | WOLWEHOEK | 36 | CL 78 |
| TSHANI | 19 | CW 82 | VAN WYKSVLEI (F.S.) | 25 | CR 70 | WANDA | 25 | CR 70 | WOLWESPRUIT | 25 | CQ 72 |
| TSHIDILAMOLOMO | 43 | CJ 71 | VAN WYKSVLEI (N.C.) | 23 | CT 64 | WAQU | 17 | CX 76 | WONDERHOEK | 46 | CJ 83 |
| TSHIPISE | 50 | CB 84 | VAN ZYLSRUS | 33 | CL 64 | WARBURTON | 46 | CK 84 | WONDERKOP | 36 | CN 77 |
| TSHITURAPADSI (ZIM.) | 50 | CA 85 | VANALPHENSVLEI | 45 | CF 80 | WARDEN | 37 | CN 81 | WONDERMERE | 43 | CJ 74 |
| TSHOKWANE | 47 | CG 88 | VANDERBIJLPARK | 36 | CL 78 | WARMBAD (NAM.) | 31 | CP 56 | WOODBINE | 43 | CH 74 |
| TSHONGWE | 39 | CM 89 | VANDERKLOOF | 25 | CS 71 | WARMFONTEIN (NAM.) | 31 | CM 57 | WOODFORD | 28 | CS 82 |
| TSINENG | 34 | CM 67 | VANDYKSDRIF | 45 | CK 82 | WARRENTON | 35 | CO 71 | WOODLANDS | 9 | DB 69 |
| TSITSA BRIDGE | 18 | CV 81 | VANRHYNSDORP | 12 | CW 56 | WARTBURG | 28 | CR 85 | WOOLRIDGE | 17 | CZ 77 |
| TSOELIKE (LES.) | 27 | CS 80 | VANT'S DRIFT | 38 | CO 84 | WASBANK | 38 | CO 84 | WORCESTER | 7 | DA 58 |
| TSOLO | 18 | CV 80 | VARKENSVLEI | 37 | CM 81 | WATERFORD | 16 | CZ 72 | WOUDKOP | 49 | CD 80 |
| TSOMO | 18 | CW 78 | VEERTIEN STROME | 35 | CO 71 | WATERKLIP | 12 | CV 55 | WUPPERTAL | 13 | CX 58 |
| TSWAING | 45 | CH 79 | VELDDRIF | 12 | CY 55 | WATERKLOOF | 25 | CT 72 | WYDGELEË | 7 | DB 60 |
| TSWARAGANANG | 35 | CP 73 | VELDSLAG | 45 | CF 79 | WATERPOORT | 49 | CC 82 | WYFORD | 37 | CP 82 |
| TUGELA | 29 | CQ 87 | VENTERSBURG | 36 | CO 77 | WATERVAL-BOVEN | 46 | CJ 84 | WYLLIE'S POORT | 50 | CC 83 |
| TUGELA FERRY | 38 | CP 84 | VENTERSDORP | 44 | CK 76 | WAVECREST | 18 | CY 80 | | | |
| TUGELA MOUTH | 29 | CQ 87 | VENTERSKROON | 36 | CL 77 | WEENEN | 28 | CQ 84 | XIGALO | 50 | CC 85 |
| TUINPLAAS | 45 | CG 80 | VENTERSTAD | 25 | CU 73 | WEGDRAAI | 23 | CQ 64 | XINAVANE (MOZ.) | 47 | CG 90 |
| TUISBLY | 46 | CH 83 | VEREENIGING | 37 | CL 79 | WELGELEË | 36 | CO 76 | XOLOBE | 18 | CX 78 |
| TULBAGH | 12 | CZ 57 | VERENA | 45 | CH 81 | WELKOM | 36 | CO 75 | | | |
| TULI (ZIM.) | 49 | CA 82 | VERGELEË | 42 | CJ 70 | WELLINGTON | 6 | DA 57 | YORK | 28 | CR 84 |
| TUNNEL | 7 | DA 59 | VERKEERDEVLEI | 36 | CP 76 | WELVANPAS | 15 | CV 67 | YZERFONTEIN | 12 | CZ 55 |
| TURFBULT | 45 | CF 81 | VERKYKERSKOP | 37 | CO 81 | WELVERDIEND | | | | | |
| TURTON | 28 | CT 85 | VERMAAKLIKHEID | 8 | DB 62 | (GAU.) | 44 | CK 77 | ZAAIMANSDAL | 9 | DA 68 |
| TUSSENIN | 44 | CG 77 | VERMAAS | 35 | CL 74 | WELVERDIEND | | | ZARA | 37 | CM 80 |
| TWEEFONTEIN | 13 | CX 59 | VERSTER | 15 | CW 67 | (NAM.) | 40 | CJ 59 | ZASTRON | 26 | CT 76 |
| TWEELING | 37 | CN 80 | VERULAM | 29 | CR 86 | WEMBLEY | 27 | CT 81 | ZEBEDIELA | 45 | CF 81 |
| TWEESPRUIT | 26 | CQ 76 | VICKERS | 26 | CU 77 | WEPENER | 26 | CR 76 | ZEEKOEIGAT | 46 | CF 83 |
| TWINBROOK | 44 | CJ 75 | VICTORIA WEST | 15 | CV 66 | WERDA | 35 | CL 74 | ZEERUST | 43 | CH 74 |
| TYLDEN | 17 | CX 76 | VIEDGESVILLE | 18 | CW 80 | WERDA (BOT.) | 42 | CH 67 | ZIHLAKENPELE | 39 | CN 88 |
| TZANEEN | 50 | CE 84 | VIER-EN-TWINTIG | | | WESLEY | 17 | CZ 77 | ZINKWAZI BEACH | 29 | CR 87 |
| | | | RIVIERE | 45 | CF 79 | WESSELSBRON | 36 | CN 75 | ZITUNDO (MOZ.) | 39 | CL 90 |
| UBOMBO | 39 | CN 89 | VIERFONTEIN | 36 | CM 76 | WESSELTON | 46 | CK 83 | ZOAR | 8 | DA 63 |
| UGIE | 18 | CV 79 | VILJOENSDRIF | 37 | CL 79 | WESTERBERG | 23 | CR 65 | ZUNCKELS | 28 | CQ 82 |
| UITDRAAI | 25 | CR 72 | VILJOENSKROON | 36 | CM 76 | WESTLEIGH | 36 | CN 77 | ZWARTKOP | 23 | CS 62 |
| UITENHAGE | 10 | DA 72 | VILLA NORA | 49 | CD 79 | WESTMINSTER | 26 | CQ 76 | ZWARTS | 14 | CY 64 |
| UITHOEK | 38 | CO 84 | VILLIERS | 37 | CM 80 | WESTONARIA | 44 | CK 78 | ZWELITSHA | 17 | CY 77 |
| UITKYK (E.C.) | 15 | CX 69 | VILLIERSDORP | 7 | DB 58 | WEZA | 28 | CT 83 | ZWINGLI | 43 | CG 74 |
| UITKYK (N.C.) | 21 | CR 56 | VIMIOSO (MOZ.) | 51 | CB 88 | WHITE RIVER | 46 | CH 86 | | | |
| UITSPANBERG | 23 | CR 65 | VINEYARD | 26 | CU 76 | WHITES | 36 | CO 76 | | | |
| UITSPANKRAAL | 13 | CW 58 | VIOOLSDRIF | 30 | CP 54 | WHITMORE | 18 | CV 79 | | | |
| UITVLUG | 23 | CR 65 | VIRGINIA | 36 | CO 76 | WHITTLESEA | 17 | CX 76 | | | |
| UITZICHT | 49 | CD 80 | VISRIVIER | 16 | CW 73 | WIEGNAARSPOORT | 15 | CY 66 | | | |
| ULCO | 34 | CO 70 | VIVO | 49 | CC 82 | WILDEBEESTE | 15 | CV 67 | | | |
| ULOLIWE | 39 | CO 87 | VLEESBAAI | 8 | DB 64 | WILDERNESS | 9 | DB 66 | | | |
| ULUNDI | 39 | CO 87 | VLEIFONTEIN (LIM.) | 50 | CC 84 | WILDHOEN | 35 | CN 72 | | | |
| ULVA | 18 | CV 79 | VLEIFONTEIN (W.C.) | 14 | CZ 62 | WILDRAND | 38 | CL 85 | | | |
| UMBUMBULU | 28 | CS 85 | VLEILAND | 14 | CZ 62 | WILLEM | 45 | CG 79 | | | |
| UMDLOTI | 29 | CR 86 | VLEITJIES | 12 | CZ 56 | WILLISTON | 13 | CV 61 | | | |
| UMFOLOZI | 39 | CO 87 | VLERMUISVLAKTE | 33 | CN 66 | WILLOWMORE | 15 | CZ 68 | | | |
| UMGABABA | 29 | CS 86 | VOËLGERAAS | 24 | CT 67 | WILLOWVALE | 18 | CX 80 | | | |
| UMHLALI | 29 | CR 86 | VOLKSRUST | 38 | CM 83 | WINBURG | 36 | CP 76 | | | |
| UMHLANGA | 29 | CR 86 | VOLOP | 23 | CQ 65 | WINCANTON | 33 | CN 66 | | | |
| UMHLONGONEK | 28 | CS 84 | VOLSTRUISLEEGTE | 15 | CZ 67 | WINDMILL | 6 | DA 56 | | | |
| UMKOMAAS | 28 | CS 85 | VONDELING | 15 | CZ 67 | WINDSORTON | 34 | CO 70 | | | |
| UMLAZI | 29 | CS 86 | VOORSPOED | 42 | CK 69 | WINDSORTON ROAD | 35 | CO 71 | | | |
| UMTENTU | 19 | CV 84 | VORSTERSHOOP | 42 | CJ 67 | WINTER'S RUSH | 34 | CP 70 | | | |
| UMTENTWENI | 28 | CU 85 | VOSBURG | 24 | CT 66 | WINTERTON | 37 | CP 82 | | | |
| UMUNYWANA | 39 | CP 88 | VOUGA (MOZ.) | 51 | CB 88 | WINTERVELD | 44 | CH 78 | | | |
| UMZIMKULU | 28 | CT 83 | VOUZELA (MOZ.) | 51 | CA 88 | WIRSING | 43 | CK 71 | | | |
| UMZINTO | 28 | CT 85 | VREDE | 37 | CM 82 | WITDRAAI | 32 | CL 61 | | | |
| UMZUMBE | 28 | CT 85 | VREDEFORT | 36 | CM 77 | WITDRIFT | 16 | CY 71 | | | |
| UNDERBERG | 28 | CS 82 | VREDENBURG | 12 | CY 54 | WITLOOP | 33 | CM 66 | | | |
| UNIONDALE | 9 | DA 67 | VREDENDAL | 12 | CW 56 | WITMOS | 16 | CX 73 | | | |
| UNION'S END | 40 | CG 62 | VREDESHOOP (NAM.) | 31 | CM 58 | WITPAN | 33 | CP 65 | | | |
| UPINGTON | 32 | CP 62 | VROEGGEDEEL | 33 | CO 65 | WITPOORT | 35 | CM 74 | | | |
| URIONSKRAAL | 12 | CW 56 | VROLIK | 33 | CO 65 | WITPUT | 25 | CR 70 | | | |
| USUTU | 49 | CB 80 | VROUENSPAN | 32 | CN 60 | WITPÜTZ (NAM.) | 30 | CM 51 | | | |

| NUMBER | COORDINATES | | PG | GRID | NUMBER | COORDINATES | | PG | GRID |
|---|---|---|---|---|---|---|---|---|---|
| 1 | 33°53'06.89"S | 18°31'52.92"E | 6 | DA 56 | 35 | 24°55'08.66"S | 28°22'22.19"E | 45 | CG 79 |
| 2 | 34°13'38.67"S | 19°25'44.69"E | 7 | DB 58 | 36 | 25°38'45.65"S | 28°16'29.69"E | 45 | CJ 79 |
| 3 | 34°05'16.94"S | 20°05'26.17"E | 7 | DB 60 | 37 | 26°02'34.05"S | 28°06'08.13"E | 45 | CJ 79 |
| 4 | 34°05'37.02"S | 21°15'04.27"E | 8 | DB 62 | 38 | 26°15'49.06"S | 27°57'24.24"E | 44 | CK 78 |
| 5 | 33°59'07.37"S | 22°30'32.68"E | 8 | DB 65 | 39 | 25°43'46.12"S | 27°39'57.36"E | 44 | CJ 78 |
| 6 | 33°49'09.52"S | 22°21'16.45"E | 8 | DA 65 | 40 | 25°32'42.08"S | 26°04'44.54"E | 43 | CH 74 |
| 7 | 33°01'31.16"S | 18°06'24.59"E | 12 | CZ 55 | 41 | 26°20'29.92"S | 26°18'18.33"E | 43 | CK 74 |
| 8 | 32°21'50.38"S | 18°56'21.46"E | 12 | CX 57 | 42 | 25°51'48.64"S | 25°38'46.56"E | 43 | CJ 73 |
| 9 | 32°10'23.26"S | 18°52'03.59"E | 12 | CX 56 | 43 | 26°57'31.42"S | 24°43'56.14"E | 35 | CM 71 |
| 10 | 33°13'28.34"S | 20°34'54.32"E | 13 | CZ 61 | 44 | 27°39'24.78"S | 27°14'59.54"E | 36 | CN 77 |
| 11 | 32°22'35.01"S | 22°31'37.07"E | 14 | CX 65 | 45 | 28°29'56.73"S | 26°59'52.09"E | 36 | CP 76 |
| 12 | 31°53'04.81"S | 23°05'00.19"E | 15 | CW 67 | 46 | 27°19'24.26"S | 28°46'36.22"E | 37 | CM 80 |
| 13 | 32°15'00.39"S | 24°32'07.63"E | 16 | CX 70 | 47 | 28°17'16.19"S | 29°08'01.49"E | 37 | CO 81 |
| 14 | 31°29'49.21"S | 25°00'19.78"E | 16 | CV 71 | 48 | 29°17'51.19"S | 27°27'08.88"E | 26 | CQ 77 |
| 15 | 33°36'43.84"S | 25°54'49.89"E | 11 | DA 74 | 49 | 29°12'05.37"S | 26°11'27.63"E | 26 | CQ 74 |
| 16 | 32°57'49.68"S | 27°55'11.63"E | 18 | CY 78 | 50 | 28°44'56.14"S | 24°45'56.08"E | 35 | CP 71 |
| 17 | 32°00'23.03"S | 27°00'15.07"E | 17 | CW 76 | 51 | 28°06'46.15"S | 24°51'12.63"E | 35 | CO 71 |
| 18 | 30°41'36.58"S | 26°42'31.92"E | 26 | CU 75 | 52 | 27°53'55.73"S | 22°57'45.61"E | 33 | CO 66 |
| 19 | 31°35'18.03"S | 28°47'24.22"E | 18 | CW 81 | 53 | 28°27'36.77"S | 21°14'26.97"E | 32 | CP 62 |
| 20 | 30°45'10.01"S | 30°25'58.31"E | 28 | CU 84 | 54 | 29°07'30.62"S | 19°23'55.76"E | 22 | CQ 58 |
| 21 | 29°50'26.62"S | 30°57'26.06"E | 29 | CS 86 | 55 | 29°39'41.58"S | 17°53'33.64"E | 21 | CR 54 |
| 22 | 29°13'26.69"S | 30°00'17.67"E | 28 | CQ 84 | 56 | 29°41'23.27"S | 22°44'26.84"E | 24 | CR 66 |
| 23 | 28°35'15.69"S | 29°36'32.13"E | 38 | CP 83 | 57 | 30°34'44.76"S | 23°30'37.07"E | 24 | CT 68 |
| 24 | 28°00'44.37"S | 32°14'18.03"E | 39 | CO 89 | 58 | 31°04'32.28"S | 24°25'55.92"E | 25 | CU 70 |
| 25 | 27°02'27.02"S | 30°48'48.83"E | 38 | CM 85 | 59 | 30°43'59.36"S | 25°05'05.63"E | 25 | CU 72 |
| 26 | 26°08'55.77"S | 30°46'15.05"E | 46 | CK 85 | | | | | |
| 27 | 26°31'17.01"S | 29°59'07.76"E | 38 | CL 83 | | | | | |
| 28 | 26°27'11.36"S | 29°27'57.69"E | 45 | CK 82 | | | | | |
| 29 | 25°53'35.96"S | 29°15'42.85"E | 45 | CJ 82 | | | | | |
| 30 | 25°49'46.36"S | 29°31'43.29"E | 45 | CJ 82 | | | | | |
| 31 | 25°27'03.12"S | 30°42'35.02"E | 46 | CH 85 | | | | | |
| 32 | 23°04'41.75"S | 29°54'31.18"E | 50 | CC 83 | | | | | |
| 33 | 23°16'03.03"S | 28°26'12.96"E | 49 | CD 80 | | | | | |
| 34 | 24°17'13.52"S | 28°58'54.82"E | 45 | CF 81 | | | | | |

# Amendments ?

As part of our ongoing product improvement programme, we value your input. This information together with your personal details (name and address) can be sent **Post Free** to the following address.

### Freepost CB 11079
### Attention: The Research Department
Map Studio
P.O. Box 1144
CAPE TOWN
8000

E-mail Address: research@mapstudio.co.za

## Visit our Website:
www.mapstudio.co.za
## 0860 10 50 50